每日一字習古義今意

# 漢字／古義今意

## 每日一字【第七輯】

自閱讀的樂趣中學習正確的文字用法，
從學生到一般讀者均可受用無窮，何樂而不為？

曾彬儒——著

普林特印刷公司——出版

# 漢字古義今意 每日一字【第七輯】

# 自序

余四川仁壽縣人，幼承庭訓，三歲起背誦百家姓及唐詩，嘗過關吃飯，未過罰站；慈母護兒，屢遭責難；嚴父之威，可見一斑！

祖父是私塾先生，傳道、授業、解惑於農村，束脩微薄，且常斷續，家中饔飧不繼，至為清寒。祖父頗具讀書人氣概，如肯向學，來者不拒，誠「有教無類」之昇華也！

祖母讀過兩年私塾，略識之無，常為無米炊，田裡生啥吃啥，多以地瓜、豌豆、胡豆等為主要糧食；典型的賢妻良母，相夫教子，知矩達理。育有九子一女，父親排行老二。食之者眾，生之者寡，鄉語云：「兒多母苦。」然從未埋怨祖父「百無一用是書生」。

父親年少從軍，投入抗戰。余四歲隨父母來台，居家甫定，父卻積勞成疾，身罹重病，雖典當所有衣飾，仍回天乏術。辭世時，余僅七歲，下有二妹，微薄撫恤常寅吃卯糧，牽蘿補屋，家中篋盡囊空，捉襟見肘，然母親仍堅苦刻厲，放下悲傷，以刺繡枕頭、被面等女紅維持家計，一針一線中藏有多少母愛！

受父親啓蒙影響，余自幼酷愛中國文學，兒時無誤樂，惟讀古籍排遣，欲云「宅男」，余自兒時始也。

大學時期，沒錢買書，輒以投稿獲酬，俾添新籍。不數年，拙作已散見各大副刊也。畢業後，因專注工作，再者，文章是愈寫愈懼，蓋「書到用時方恨少」，故而未再「煮字」，改以涉獵典籍為主也。

退休後，以書法、繪畫自娛，與孫輩閒話間，常感渠等對成語及典故等極為陌生，遑論詳其出處。電視主播常唸白字，字幕更常誤植，與原義南轅北轍，除令人啼笑皆非外，更深以為憂。

邇來科技發達，資訊飛騰，人人電腦一部，個個手機一支，昔之筆墨，已入廢墟。嘗觀日、韓書法，習之者日眾，其意境亦愈深。中國書法乃文字優美的表徵，舉世無堪比擬，莘莘學子卻棄如敝屣，不數年，學習書法恐赴他國取經，「禮失求諸野」矣，余心有戚戚焉！

中國文字是中華文化的根源，自甲骨文以降，每字演進均為歷史軌跡，身為炎黃子孫，不能不知其然。每日一字，可瞭解祖先造字的智慧，字源的起始與變化，更可從中淺讀詩經、易經、論語、詩詞、成語典故等。

子曰：「小子何莫學夫詩？詩可以興，可以觀，可以群，可以怨；邇之事父，遠之事君，多識於鳥獸草木之名。」真乃至理名言也！何不起而行，每日讀一字？

本書以簡單的現代語言，解釋深奧難懂的古文古義，旨在提高讀者對中國文學的興趣，提昇中文程度，更冀祈勿使中華文化之精髓斷層於吾輩之手。因每字篇幅有限，只能淺談，未予深研，嗣後有機，當另闢專篇，以適進階者也！

余才疏學淺，綆短汲深，註釋引喻必有未盡之處，加之付梓匆匆，難免掛一漏萬，未臻完善之處，尚祈方家正之！

曾彬儒　謹識

行楷

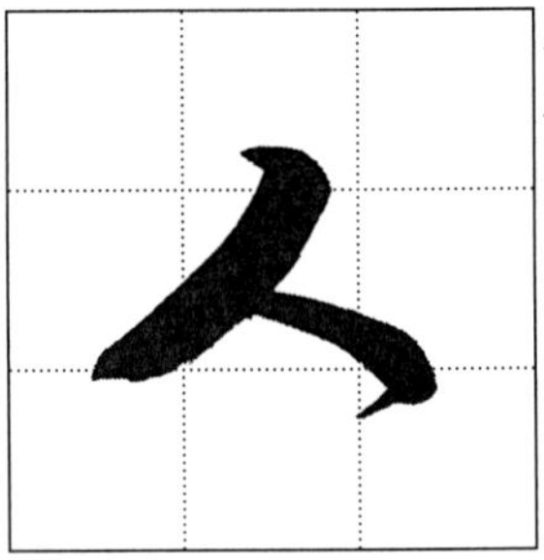

甲骨文

金文

小篆

行書

甲骨文：是一個面朝左站立的人，腰桿微彎，雙臂與雙手自然微微下垂，對人極為恭敬的樣子，
是個象形字。

金文：與甲骨文相似，其義亦同。

小篆：腰更彎，雙手像作揖至地，更為恭謹。

楷書：變成兩腿張開，正面站立之形。

人之簡化字與繁體字相同。

## ◆古義

《說文》：「人，天地之性，最貴者也。」「孝經」：「天地之性，人爲貴。」「書經集傳」：「萬物之性，惟人得其秀而靈。」故曰：「人爲萬物之靈。」「人」亦己之對稱。「論語。顏淵」：「己所不欲，勿施於人；在邦無怨，在家無怨。」自己不願承受的，不要加諸他人之身，無論在國中或家中，都沒人怨恨，這就近於人道了。亦指「人們」、「眾人」，「詩經。鄭風。將仲子」：「人之多言，亦可畏也。」眾人的流言，也是很可怕的。眾人亦即百姓民心，得民心則和樂也。「孟子。公孫丑」：天時不如地利，地利不如人和。」人爲萬物之靈，「孟子。離婁」：「人之所以異於禽獸者幾希。」「幾希」是差不了多少，只差在「知義與否」？知者爲人，不知義則爲禽獸。「一人」是指「天子」。「尚書。周書。呂刑」：「一人有慶，兆民賴之，其寧惟永。」「二人」是指父母。「詩經。小雅。小宛」：「明發不寐，有懷二人。」天都亮了還沒睡著，因心中思念父母二人。宋元以前，「本草」對果核記載皆曰「人」。

## ◆今意

幼兒牙牙學語，父母親教的第一句多半是「人之初。性本善。」學會的第一件事是分辨「好人」與「壞人」，不聽話的「壞孩子」是會被警察抓走或大野狼吃掉的，「人」之一字，太熟悉了！「人生」就是「人與人」之間的互動。我常讀蘇東坡的一首詩：「人人都說聰明好，我被聰明誤一生，但願生兒愚且蠢，無災無難到公卿。」蘇東坡極為聰明，前兩句有自知之明，後兩句則又犯了自我聰明的毛病：「人浮於食」出自「禮記。坊記」：「故君子與其使食浮於人也，寧使人浮於食。」食指祿位，俸祿超過自己的能力則近貪，能力超過俸祿則近廉。今則比喻人多職缺少，已與古義大不相同！

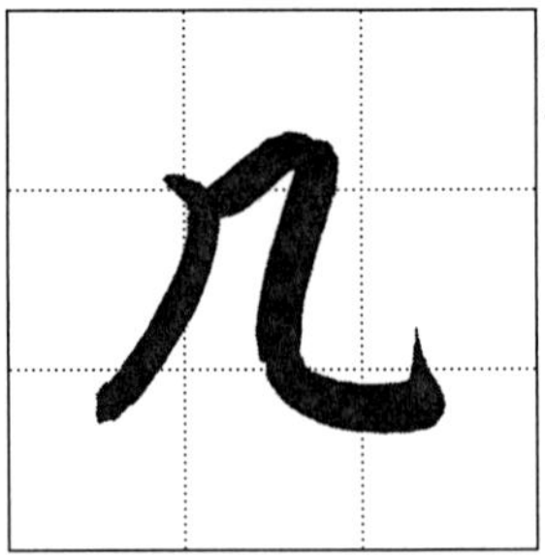
行楷

金文

小篆

行書

金文：像一張矮小的桌子，可以坐、臥、靠，或置物於其上，是個象形字。

小篆：與金文形義均相同。

楷書：由小篆演變而來，其形亦相似。

几之簡化字與繁體字相同。

## ◆古義

《說文》：「几，踞几也。」踞者，坐其上也。「詩經、大雅、行葦」：「或肆之筵，或授之几。」肆為鋪設，几即矮木桌，老者可倚之休息，有的兄弟在鋪設坐的竹席，有的擺上矮小的几案。故知「几」之本義為矮小的「几案」。處理公務部門之事稱「几案間事。」上古有五几，「周禮。春官」：「五几者：玉几、雕几、彤几、漆几、素几也。」指「几」之五種材質及顏色。天子之「几」稱「玉几」，冬加厚帛錦緞於其上，公僕皆「竹木几」。「几」可坐、可臥、可倚。「孟子。公孫丑」：「隱几而臥。」即伏在「几案」上睡覺。「几杖」是指「几案」與「手杖」，供老年人倚靠及走路時持柱之用。「禮記。曲禮」：「若七十不聽致事，則必賜之「几杖」。「几」亦「幾」之簡體字。

## ◆今意

古之「几」即今之「茶几」，比餐桌、書桌、辦公桌等都來得矮小，它是客廳的主角，置放茶杯、咖啡杯少不了它，亦是書房、辦公室的主要配角，沒它還真不方便。黎明即起，灑掃庭除要內外整潔，窗明几淨，這是家居生活的第一課。古之「茶几」可坐、可倚、可臥，今之「茶几」已不作此用！蓋坐有沙發，臥有席夢思也！「几」也是「幾」的簡體字，故凡有「幾」字者，均可以簡寫代之，如「機」、「飢」等。「几」亦是大陸「幾」的簡化字，不論用於簡體字或簡化字，「几」音均應讀「擠」。

行楷

金文

小篆

行書

金文：像一個盥洗用的器具，上方半圓形像盆的四周，中間的一條彎道像個蓄水的槽形，盆中接水洗盥身體，是個象形字。

小篆：由金文演變而來，其形體極為相似。

楷書：由小篆形體簡化而來。

也之簡化字與繁體字相同。

## ◆古義

「也」是一種盥洗的器具，用於洗滌，因柄中有道，可注入水、酒，故亦用於飲酒器。「也」被借用為助詞後，其本義即被忽略，故另加「匚」形成「匜」(音移)，以與助詞「也」有別。「也」、「匜」實為同一字也。「左傳，僖公二十三年」：「奉也沃盥。」「也」即「匜」，懷嬴捧著盥洗器伺候他盥洗。「也」用於助詞有三種型態。一表示肯定或疑問。如「韓非子。五蠹」：「皆守株之類也。」都是守株待兔之類的人。「禮記。曲禮」：「奈何去社稷也？」「也」與「耶」同。二、為下句先作提示。「論語。學而」：「其為人也孝弟。」他的為人是能孝順父母，尊敬兄長。三、表示停頓，以助下句。「荀子。天論」：「天不為人之惡寒也輟冬。」老天爺絕不因人類厭惡酷寒而停止冬天到來。亦「姓」也，如元蒙古人「也先不花」，明蒙古人「也先」。

## ◆今意

「也」被借用為助語詞後，另造「匜」表盥器，至今「匜」亦少用。「也」當助語詞常出現在文言文中，如「黃金美鈔吾所欲也！」，現在白話文則以「啊」、「的」表之。「也」與「亦」同，表示相同，如「也好」、「也是」。亦有「或」義，非絕對肯定之義，如「也許」、「或許」。有些人常犯模稜兩可的毛病，跟他求証個事，總答以「大概、也許或者是，我想可能差不多。」令人摸不著頭緒！我喜歡「宋。范成大。夏日田園雜興」：「晝出耘田夜績麻，村莊兒女各當家，童孫未解供耕織，也傍桑陰學種瓜。」現在都市兒童沒這種童年啦！

行楷

甲骨文

金文

小篆

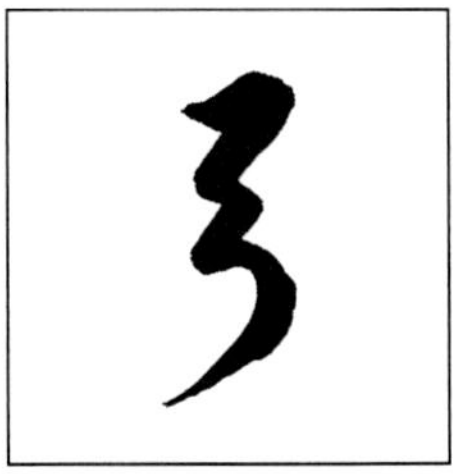

行書

甲骨文：左邊是弓背，右邊是弓弦，弓的上端像個掛鈎，亦是裝飾品，弓是古代以近窮遠，可攻擊可防禦的武器，是個象形字。

金文：只見弓彎，弓弦省略了，仍不失其義。

小篆：由金文弓形演變而來，已圖形文字化了。

楷書：由小篆字形轉換而來，是楷書的筆法。

弓之簡化字與繁體字相同。

## ◆古義

《說文》：「弓，以近窮遠，象形。」使箭至極遠之處也。「釋名」：「弓，穹也，張之穹穹然也。」「弓」與「穹」通，「穹」者，窮也、窮也、極也。「詩經。小雅。彤弓」：「彤弓弨兮，受言藏之。」「彤弓」是漆上紅顏色的弓，屬諸侯使用之弓，「弨（音召）指鬆弦，古代賜弓時，弓弦要鬆開，「言」是助語詞，鬆了弦的大弓，拜受後將其珍藏。故知「弓」之本義爲「射箭的兵器」。造弓者稱「弓人」，善射者稱「弓手」，藏弓之套稱「弓衣」。父子相傳之事業稱「弓冶」。古代舞蹈中，女子彎腰的姿勢稱「弓腰」。纏足裹小腳的鞋稱「弓鞋」。「杯弓蛇影」語出「晉書。樂廣傳」：有一賓客到家裡喝酒，見杯中有蛇影而驚疑成病，經解釋係壁上弓之倒影後，立即釋疑病愈。

## ◆今意

「弓」已非現代武器，僅列為運動比賽的項目之一「射箭」，其所使用之「弓」及「弓衣」等配備就更精緻和講究了，「弓手」則和其他運動員一樣稱「選手」。古今「弓折刀盡」是指完全喪失戰鬥力，今則用「彈盡援絕」喻之。今之婦女已不纏足，「弓鞋」只有在古蹟博物館中才能看到。對因幻覺而引起之疑慮與恐懼，今仍常用「杯弓蛇影」喻之。現在做體操或練拳，都有「弓箭」步的姿勢，但若「弓腰駝背」就太難看啦！

行楷

金文

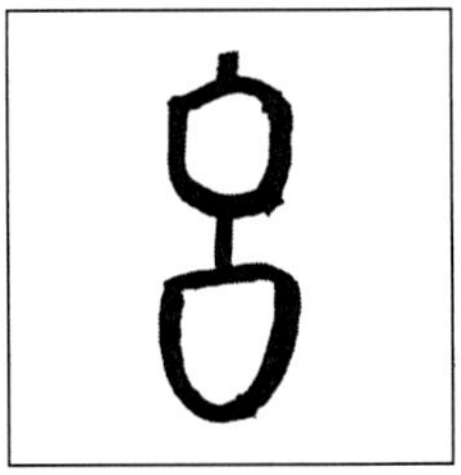

小篆

行書

金文：外形看來就像一小束絲縷，是個象形字。

小篆：與金文相似，絲縷由橢圓形變成方形。

楷書：變化較大，絲縷變成線條而筆法化。

幺之簡化字與繁體字相同。

## ◆古義

「幺」俗作「么」，一般人習慣用俗寫之「么」代替其本字。《說文》：「幺，小也，像子初生之形。」小孩剛生出來，極幼小也，故以「幼」之左邊爲「幺」，表示小義。「顏師古」曰：「幺，小也。」亦本此。「爾雅。釋獸」：「幺，幼。」豬乃多胞胎，最後出生的小豬稱「幺豚」。故知「幺」之本義爲「小」。兩個「幺」即「丝（音幽）」，幺中之幺，幺之甚也，極微小也。「通俗文」：「不長曰幺，細小曰麼。」「麼」者，細小也。「幺麼」亦指細小。「李善注引鶡冠子」曰：「無道之君，任用幺麼；有道之君，任用俊雄。」「幺鳳」是體型較小的鳳鳥，亦名「桐花鳳」。「蘇軾，異鵲」詩：「家有五畝園，幺鳳集桐華。」家中有五畝林園花園，幺鳳卻都聚集在桐花盛開處，故知「桐花鳳」之得名。「白居易。琵琶行」：「輕攏慢撚抹復挑，初爲霓裳後六么。」霓裳與六幺皆琵琶曲之曲名。

## ◆今意

「幺」是最小的，所以骰子中的一點曰「幺」，數目中的一最小，故亦稱「幺」，為精確聽辨0到9的數字，常把0說成「洞」，一為「幺」，7為「拐」，9為「勾」。最小的弟妹稱「幺弟」、「幺妹」。四川人對伯叔均稱爸，如「二爸」、「幺爸」。對跪堂的稱「幺師」，今多稱「服務員」。通常「老幺」最受寵，有時「老幺」亦最重要。有一次聽星雲法師演講，悟之甚深！「五根手指頭爭相作老大，大姆指說當誇讚別人時，都會豎起大姆指，食指說民以食為天，廚師嚐味均以食指試之，中指說我居正中且指最長，無名指說婚戒均套我指，至為重要，幺指說我最小，但雙手合掌禮佛時，我離佛祖最近」！

行楷

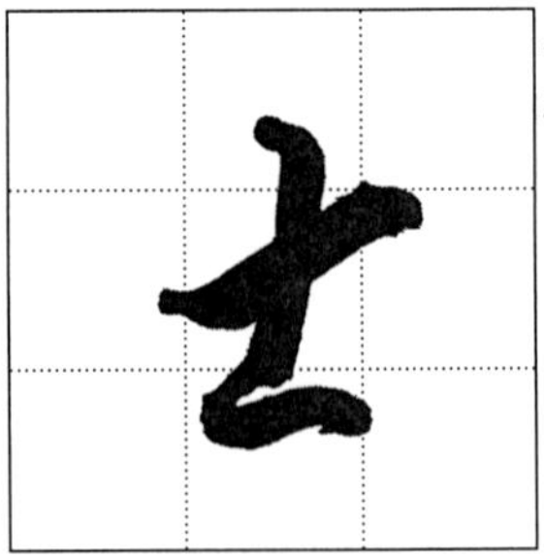

甲骨文

金文

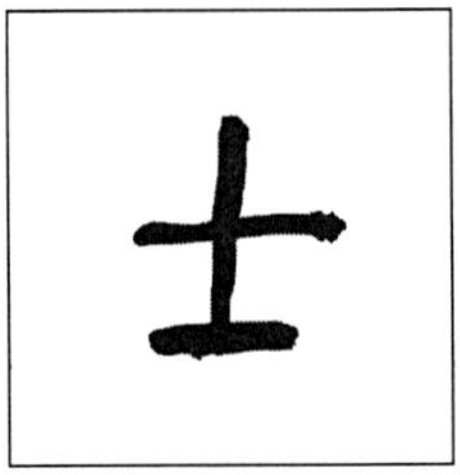

小篆

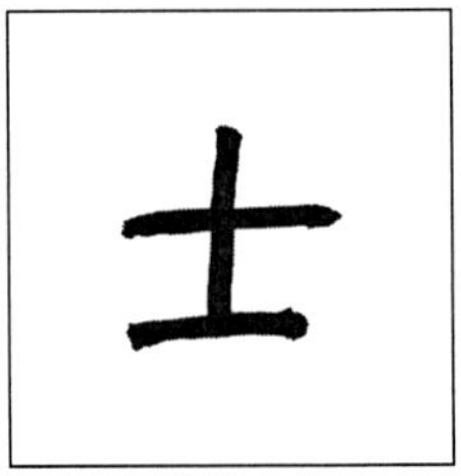

行書

甲骨文：上十下一之組合，指數目的一到十，即一樁一樁，一件的事務，是個象形字

金文：形義均與甲骨文相同。

小篆：與甲骨文、金文形義均同。

楷書：自甲骨文至楷書形義均同，這是漢字中少有的。

士之簡化字與繁體字相同。

## ◆古義

《說文》：「士，事也，數始於一，終於十，從一從十。」凡人之所做所為稱「事」，「一件」曰「一事」，自一始，至十終。「禮記。大學」：「事有始終。」「事務」，「事情」有開始，有結束之謂。故知「士」之本義為「事」。引申為能做事的人稱「士」，凡能通古今，辨然否者，均可稱「士」，亦引申指人。「詩經。鄭風。褰裳」：「豈無他士，狂童之狂也且！」難道就沒別人愛我？你這狂小子也太狂啦！「他士」亦泛指未娶妻之人也！「論語。述而」：「富而可求也，雖執鞭之士，吾亦為之。」富貴如可強求，就算做低賤的勞役工作，我也願意。此指做低賤工作的人。男子通稱「士」。「詩經。周頌。載芟」：「思媚其婦，有依其士。」「思」是助語詞，「依」指強壯，那個農婦好美啊，農夫多強壯啊！另女之有士行者曰「女士」。「詩經。大雅。既醉」：釐爾女士，從以孫子。」賜福給您的女兒以及子孫。「士」亦官名，如刑官。邑宰等。

## ◆今意

今之「士」多指人，如民間的「社會人士」，軍中的「三軍將士」，演講時必先稱「各位女士」等。古之階級觀念極重，當官的「士大夫」稱「士族」，貧窮的老百姓稱「庶族」，上流社會的人稱「士君子」。現在大家地位平等，只有窮富之別，尤其選舉時每人都算一票，最為公平！現在誇獎別人進步神速，非往昔可比稱「士別三日，刮目相看。」典出「三國志、英志、呂蒙傳」。謂呂蒙苦讀有成，已非當年吳下阿蒙！古人崇尚忠義，常有「士為知己者死」之舉，語出「漢、劉向、說苑」：鮑叔死，管仲泣如雨下曰：「生我者父母，知我者鮑子也。士為知己者死，而況為之哀乎！」今之為知己而死者多為江湖之義，但愚忠愚義應分辨清楚！現仍常說「士可殺，不可辱！」故千萬別侮辱人！

行楷

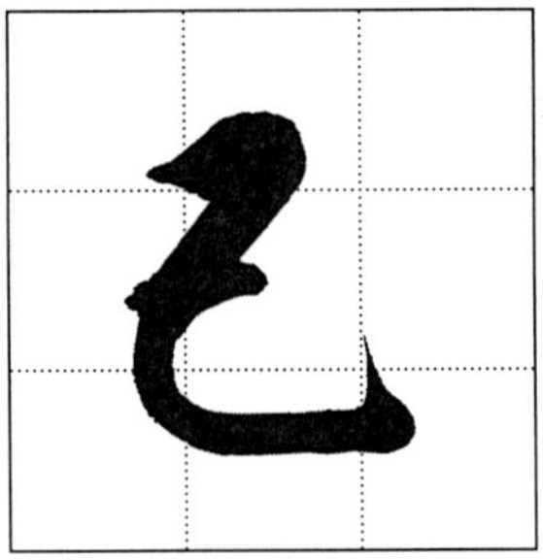

甲骨文

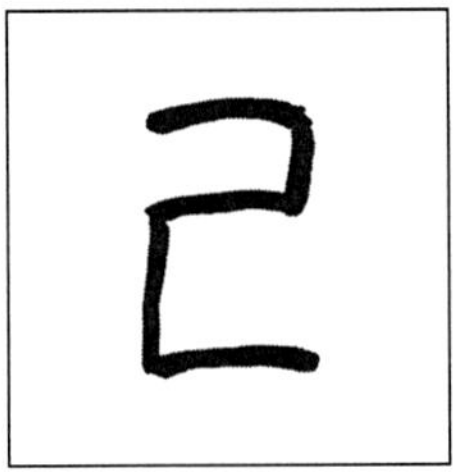

金文

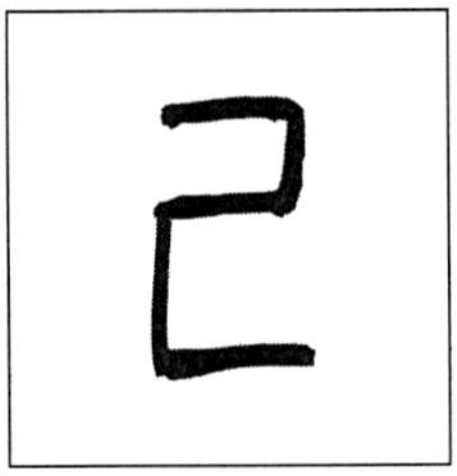

小篆

行書

甲骨文：是一根長而直角彎曲的繩索，索上有結繩記事的符號，是個象形字。

金文：與甲骨文字形字義均同。

小篆：與甲骨文及金文均相同。

楷書：字形之最後收尾往上，與小篆相反。

己之簡化字與繁體字相同。

## ◆古義

「釋名」：「己，紀也。皆有定形，可紀識也。」「紀」者、「理」也、「禮法」也、「紀載」也。「詩經。小雅。節南山」：「式夷式己，無小人殆。」「式」為語助詞，「夷」指平也，「殆」是「危」也，為政要起用平正之人，消除不合理之事，不能讓小人危害國家。「己」是「紀」的本字，甲骨文與金文時期，「己」「紀」是同字。小篆以後，為使絲縷之數有紀，故加「糸」旁為「紀」，此後兩字分義分用。故知「己」之本義為「合理」、「紀載」。亦「人」之對稱字，指「己」身也。「禮記。坊記」：「君子貴人而賤己，先人而後己，則民作讓。」「賤」是貶抑，君子總是稱讚別人而貶抑自己，總先想到別人，才考慮自己，如此則百姓懂得謙讓。引申為「私欲」。「論語。顏淵」：「克己復禮為仁。」「為仁由己，而由人乎哉！」克服私欲，回歸禮法，就是仁，仁是要從自己做起，和別人無關。「己」亦天干第六位。

## ◆今意

「己」、「已」、「巳」三字形體相似，音與義卻大不相同，書寫時亦極易生錯，但只要記住口訣，則從此清晰明白。「自己不出頭，已經出了頭，巳字滿到頭。」端以左上方缺口之盈缺為準，說：寫、讀都不會再錯。「己」除了天干第六位外，最常用的就是「自己」，常聽人說：「要對自己好一點，不要太苛刻自己。」但「嚴以律己，寬以待人。」卻是中國人優良傳統之一，更具有「孟子，離婁」篇所言，人飢己飢，人溺己溺之胸懷。亦有人說：「人不為己，天誅地滅。」雖說其為「人性」，但其器何其小哉！子曰：「己欲立而立人，己欲達而達人。」及朱熹推己及人」之忠恕之道，都告訴我們對自己應有的要求與標準，雖歷千年，其理至人今未變也！

行楷

金文

小篆

行書

金文：像一個婦女的胸部，左右兩點代表乳房，中間一豎表示禁止，金文中的「母」、「毋」兩字接近，「母」是全身形象，「毋」則只有上半身，是個象形字。

小篆：中間的兩點變成了一橫，下半部的寫法與小篆「母」字相同。

楷書：由小篆字形演變而來，依稀有古義。

毋之簡化字與繁體字相同。

## ◆古義

《說文》：「毋，止之也，其字從女，內有一畫，象姦之形，禁止之，勿令姦。」「姦」者，私也、淫也、亂也，「段玉裁」汪：「姦，其後竟用奸字。」「奸」者，犯也。禁止勿使犯罪也。「禮記。曲禮」：「毋不敬，儼若思。」「儼」即「嚴」，「莊嚴」、「端莊」之謂，遇事要認真，不可不恭敬，待人要端莊，像正在思考般莊重。「註」：古人云毋，猶今人言莫也。亦即「不」也，「禮記。郊特牲」：「昆蟲毋作，草木歸其澤。」昆蟲之災不會發生，雜草荊木等歸於藪澤。古文「毋」為「無」，有之反也。「左傳。襄公二十九年」：「且先君而有知也，毋寧夫人，而焉用老臣？」「毋寧」亦作「無寧」，寧願、寧可也。如果先君有知，寧可讓夫人去辦用不著我這老臣啦！亦用於疑而未定之詞，如「毋乃」是「或者」、「豈不是」之義。「將毋」是疑而發問之聲，如「嗎」？

## ◆今意

「毋」之本義為「禁止」、「不要」、「莫」、「勿」等至今均未改變，但有些古時用詞今已不用，如「毋追（音牟堆）」是夏代時通行的黑絲尖形冠。「禮記，郊特牲」：「毋追，夏后氏之道也。」「毋或」是千萬不可或有其事，「毋我」是自己不要存有私心，「毋望」是不指望卻忽焉而至。「史記。，春申君傳」：「世有毋望之福，又有毋望之禍。」「毋害」亦即「無害」，「毋庸置疑」是不必懷疑。現在很多人習慣用「勿」代替「毋」，或因「勿」僅有「不可」之單一禁止義，「毋」之其他含義者，不宜用之！「毋忘在莒」是激勵國人同仇敵愾，雪恥後國之詞，語出戰國時，齊國僅餘莒與即墨二城，田單以火牛陣大破燕軍，收復七十餘城的故事，這就不能寫成「勿忘在莒」啦！

行楷

甲骨文

金文

小篆

行書

甲骨文：像一個面朝左跪著的人，頭部有一張朝左張開的大嘴，正在打呵欠，是個象形字。

金文：由跪姿變坐姿，其義相同。

小篆：由金文字形演變而來，「口」形變成「哈氣」形，姿勢亦變成立姿。

楷書：由小篆字形演變而來，已不見打呵欠的模樣。

欠之簡化字與繁體字相同。

## ◆古義

《說文》：「欠，張口氣悟也。」張口舒氣之謂，俗稱「打呵欠」，通常是疲勞時的自然反應。「禮記。曲禮」：「侍坐於君子，君子欠伸。」「欠伸」是打呵欠，伸懶腰，陪伴長者，如見其打呵欠，伸懶腰，就該告辭了。「爾雅。釋畜」：「魚曰湏。」「湏」是指人、魚、鳥、獸疲倦或喘息的動作，魚之鼓腮喘息，如人之欠湏呼吸，故知「欠」之本義為「打呵欠」，由欠缺氧氣而打呵欠引申為「欠缺」、「不足」，「三國演義四九」：孔明索紙筆，屏退左右，密書十六字曰：「欲破曹公，宜用火攻，萬事俱備，只欠東風。」欠缺東風也。由「不足」而引申為「欠債」、「財物虧損」，亦引申為人物，景色的「欠佳」，文章與思考的「欠通順」，為人處事的「欠妥當」等。

## ◆今意

古人早就告訴我們，當陪伴長輩或拜訪別人，見主人伸懶腰、打呵欠，或自己拿起拐杖、鞋子，或經常探看庭院中的日影，就該告辭了，但很多人不識相，就是賴著不走。「欠債」有兩種，一是錢債、一是情債，「錢債易返、情債難還。」常聽人說：「夫妻就是相欠債」，一是前世的虧欠，一是前世的承諾。亦有「子女債」，好的兒女是來報恩的，否則就是來討債的！這輩子做牛做馬，辛苦還債的人，多半上輩欠人太多，所以當老板的千萬別欠發員工薪水，否則下輩子還是要還的！平常生活要規律有節制，否則身體會經常「欠安」！

行楷

甲骨文

石文

小篆

行書

甲骨文：外觀像一個面朝左，大著肚子側立的女人，腹中有一個小孩子，亦即婦女懷胎即將分娩之形，是個會意字。

石文：左邊是個小孩子，右邊是婦女之形。

小篆：上半部由人形變成「乃」字，下半部仍為「子」形。

楷書：由小篆字形轉換而來，隱約仍有古義。

孕之簡化字與繁體字相同。

## ◆古義

《說文》：孕，懷子也。」腹中懷上孩子。「易經。漸卦」：「婦三歲不孕，終莫之勝，吉。」猶如妻子三年不懷身孕，但能持中守正而漸進，終必遂其所願，吉也。「史記。周本紀」：「姜嫄見巨人跡，欲踐之，踐之而身動，如孕。」姜嫄乃帝嚳妃，后稷母，性清靜，好稼穡，履巨人之足跡，歸而有娠，遂生后稷。故知孕之本義為「懷胎」。「莊子。天運」：「孕婦十月生子。」懷孕需經十個月才能生產。「禮記。效特牲」：「牲孕弗食。」懷孕的牲畜不要宰殺，讓牝孕妊生子也。「孕毓」與「孕鬻」均同義，如必細分，「孕毓」多指植物根核，「孕鬻」則指走獸之屬，毓與育同，今則多用「孕育」。

## ◆今意

「孕」之古義迄今未變！母親懷胎十月才能分娩，這十個月不容易啊！吃進去的東西常反胃想吐，情緒會暴燥失常，身體變形，翻身困難，覺就睡不好，幾乎渡日如年，沒一天好受，更別說還有生產的風險。生下來還要養育，漫漫長日不知又是多少個十月。長大成材還好，能扶您過馬路更佳，否則就不敢往下想啦！俗語云：「養兒方知父母恩，父母恩情比海深。」為人子女者宜深省也！今之婦女生產有分娩假，丈夫有陪產假，有養育、教育等鼓勵及補助，但在懷孕期間是否能多給孕婦些關懷及支援？

行楷

金文

小篆

行書

金文：是一隻眼睛的形象，眼中央被一支長錐刺入而瞎了，古時有奴隸制，主人極其殘忍將奴隸的眼睛刺瞎一隻，使其終生馴服爲奴，是個象形字。

小篆：由金文演變而來，「錐」太殘忍，「錐柄」改用一長橫代替。

楷書：由小篆字形轉換而來，已不見眼形。

民之簡化字與繁體字相同。

## ◆古義

「民」之本義為「奴隸」，因奴隸畢竟是少數，故引申為「萬民」、「眾民」。「詩經。大雅，蕩」：「天生烝民，其命匪諶。」「烝民」是萬民，「諶（音臣）」指誠信，上帝降生了萬民，但天命不能完全相信。古之民有四民，「穀梁傳。成公元年」：「有士民、有商氏、有農氏、有工民。」歷經社會演變成了「士、農、工、商」四個階層。《說文》：「民眾萌也，言萌而無識也。」「萌（音盟）」是初始也，剛發芽也，百姓如初生之嬰兒，尚懵懂無知。百姓經常知識水準不一，孔子曾提出權宜之計的治理說法：「民可使由之，不可使知之。」國家有辦法使百姓做當做之事，但卻沒法讓每個人都知其所以然。「書。五子之歌」：「民惟邦本，本固邦寧。」人民安定，則國家安寧。「後蜀主。孟昶。戒石文」：「爾俸爾祿，民膏民脂，下民易虐，上天難欺。」

## ◆今意

政府的官員常謙稱自己是「人民的保姆」、「人民的公僕」，為人民服務的。但歷朝歷代多有不肖官史剝削人民，欺壓百姓，當官的要切記孟昶的戒石文，欺虐百姓容易，欺蒙上天則難，您的薪水都是來自納稅人的血汗錢！如果「民不聊生」，「官逼民反」，事情就大條了，故為政者一定要「體恤民瘼」，「勤政愛民」。三民主義是指「民族主義」、「民權主義」和「民生主義」、「民治」、「民享」是三民主義的主要精神。「民胞物與」語出「宋。張載。西銘」：「民。吾同胞，物，吾與也。」認為人類都是天地父母所生的兄弟，萬物亦都同類，是「博愛」之義！

行楷

甲骨文

金文

小篆

行書

甲骨文：像一座房屋的外形，中間是個口，表示房屋開了一扇窗戶，口形向上，表示窗戶是朝北面開的，是個象形字。

金文：與甲骨文形義均同。

小篆：與甲骨文、金文形義均同。

楷書：由小篆字形演變而來，已不見房屋開窗之形。

向之簡化字與繁體字相同。

◆古義

《說文》：「向，北出牖也。」向北面開的窗戶。「玉篇」：「向，窻也。」「詩經。豳風。七月」：「穹窒薰鼠，塞向墐戶。」「穹窒」是堵塞，「向」指北窗，「墐（音謹）」是以泥塗抹，堵塞鼠洞燻老鼠，把北窗塞住，用泥塗抹柴門以避寒過年。故知「向」之本義為「朝北開的窗」。引申為「方向」、「朝向」。「李後主。虞美人」：「恰似一江春水向東流。」指滿江春水向東而流。亦引申為意之所趨之「意向」、「趨向」與病情之「向愈」、天色之「向晚」等。「唐。李商隱。登樂遊原」：「向晚意不適，驅車登古原。」接近晚上天黑之時也。亦指「往昔」、「從前」。「司馬遷。報任少卿書」：「向者僕常廁於大夫之列。」「僕」是自己的謙稱，從前我常置身於大夫之列。從以前到現在稱「素來」、「向來」，從現在到以後稱「向後」。亦與嚮、鄉通。

◆今意

「向」今多用於「方向」、「趨向」、「一向」及「將近」等，每個人都要有自己努力的目標和「方向」，國家領導人要帶領全民走上正確的「方向」，正確的「方向」可使國家「向上」提昇，反之則「向下」沉淪，這是「向來」、「一向」、「一如往昔」不變的真理！「向」亦指「面向」、「面對」，常見「向陽門第春先到，積善人家慶有餘。」的春聯，可見大家都喜歡面對陽光，積德行善！蓋因花木向陽必然「向榮」，人若正直無邪，迎向光明，其亦然也！古之「向使」是假設詞，今則多用「假使」、「假如」等，古之「向陽」語出「漢。劉向，說苑，貴德」謂「一人獨索然向隅而泣。」今則常見於搶不到演唱會的票而「向隅」，沒有哭泣，只有發脾氣！

行楷

甲骨文

金文

小篆

行書

甲骨文：外形像一座房屋，表形，中間是個「乇（音浙）」，指草葉、凡草木之根均生長於地上之謂，表聲，是個形聲字。

金文：與甲骨文形義均同。

小篆：由金文演變而來，裡面的「乇」字更為清楚。

楷書：由小篆字形演變而來，屋內種花草，表示有人居。

宅之簡化字與繁體字相同。

## ◆古義

《說文》：「宅，所托也。」人所依托居住也。「爾雅。釋言」：「宅。居也。」托身居住之處所也。「玉篇」：「人之居舍曰宅。」「釋名」：「宅，擇也，擇吉處而營之也。」故知「宅」之本義為「居住之所」也！所居之位亦曰宅，「禮記。郊特牲」：「土反其宅，水歸其壑。」田土還歸於大地，流水回歸溝壑。由居住引申為安定。「詩經。小雅。鴻雁」：「雖則劬勞，其究安宅。」雖然建屋極為辛勞，但百姓終於有了安身的房屋。引申為墓穴曰「宅」，活人住屋稱「陽宅」，死人所居為「陰宅」，俗稱「墳墓」。「禮記。雜記上」：「大夫卜宅與葬日。」為大夫占卜安葬的地點和時間。「宅者」是指致仕者，「致仕」指辭官，謂辭去官職在家居住之人。「宅眷」指家眷。「宅」（音澤），語音讀（翟）。

## ◆今意

「宅」之本義至今未變，人之居住安身之處也！現在有平價的國民住宅，簡稱「國宅」，雖然坪數較小，亦夠小家庭擋風遮雨。「宅第」是指大的房屋及門第，人丁旺盛、花木扶疏，甚或是假山園林，鴛鴦戲水的「大宅門」，在今之寸土寸金時代，已不多見！古之「宅兆」，今通稱「墳墓」。「陰宅」、「陽宅」多用於「堪輿」、「宅憂」是指居喪之期。每天都窩在家裡不大出門的稱「宅男」、「宅女」，或說「那人很宅」。雖不出門，卻忙著上網打電動，或交些不明網友，挺危險的，還不如走出「宅門」，多與大自然接觸！我們常說此人「宅心仁厚」是指其居心仁愛，寬容而厚道，這就是我們要學習的榜樣！

行楷

甲骨文

金文

小篆

行書

甲骨文：頂上是半彎殘月，月下有一跪著的人，雙手舉起，手中有物，表示還在辛勤的工作，是個會意字。

金文：變成月在左，人的工作之形在右。

小篆：由金文演變而來，彎曲的人形中多了一隻手形。

楷書：與小篆字形差異極大，已看不出人在月下工作之形。

夙之簡化字與繁體字相同。

## ◆古義

《說文》：「夙，早敬也。」「早」指「早晨」，「敬」是「敬肅」。「詩經。召南。行露」：「豈不夙夜？謂行多露。」「謂」與「畏」通，為何不早晚趕路？只是怕路上露水太多。「詩經。小雅。小宛」：「夙興夜寐，毋忝爾所生」，「忝」是玷辱，「爾所生」是「所生爾」之倒文，環境不好，要早起晚睡，辛勤工作，不要玷辱生養你的父母。「詩經。大雅。生民」：「載震載夙，載生載育，時維后稷。」「震」通「娠」，「夙」通「肅」，她懷孕了，作息敬肅，生下了孩子，就是周之始祖后稷。故知「夙」之本義為「早晨」、「敬肅」。因「早晨」引申為「過去的」、「舊的」、「累積很久的」，如「夙怨」，做賊多年稱「夙賊」，讀書甚多的飽學之士稱「夙儒」，前世的罪孽稱「夙孽」。

## ◆今意

讀列「夙」字，就會想起「宋，文天祥」的「正氣歌」：「哲人日已遠，典型在夙昔」。「夙昔」是指「從前」、「往日之時」，賢明有智的人雖已遠去，但其德行風範長留古今，亦為今人學習的榜樣，吾人自幼讀書，必已萌生效法先聖先賢，夙儒俊彥典型的「夙志」、「夙願」，嗣後是否有成，端賴持之以恆！做人做事做學問，其理不易也！「夙」與「宿」在表達「過去的」、「積久的」時候是相通的，如「夙（宿）志」、「夙（宿）願」、「夙（宿）怨」、「夙（宿）儒」、「夙（宿）素」，「夙（宿）賊」等，現在「夙」多以「早」表之，而「夙賊」則稱「慣賊」、「慣竊」。

行楷

甲骨文

金文

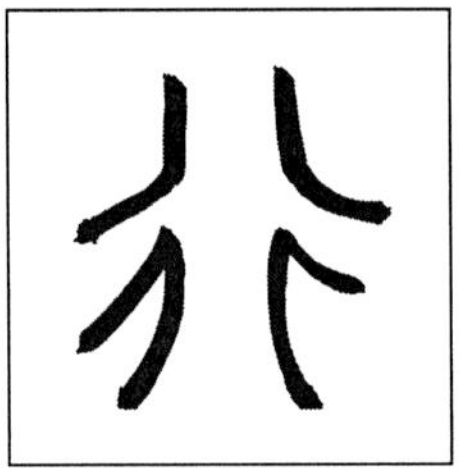

小篆

行書

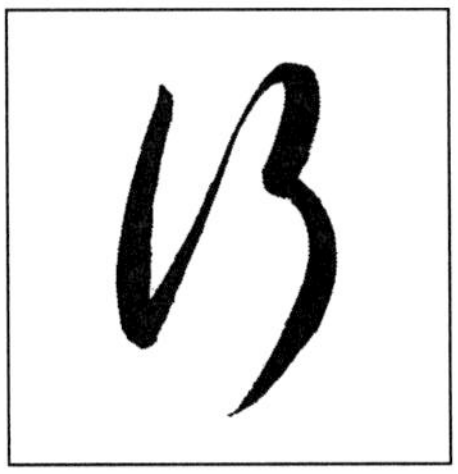

甲骨文：像一個不是呈九十度平衡垂直的十字路口，是供人行走的道路，是個象形字。

金文：與甲骨文形體相似，其義亦同。

小篆：由金文演變而來，是小篆的筆法。

楷書：由小篆字形轉換而來，已不見十字路口之形。

行之簡化字與繁體字相同。

## ◆古義

《說文》：「行，人之步趨也，從彳從亍。」「彳亍（音赤絀）」是走路的樣子，左步為「彳」，右步為「亍」。「爾雅。釋宮」：「堂上謂之行，堂下謂之步，門外謂之趨。」「詩經、豳風、七月」：「遵彼微行，爰求柔桑。」「遵」即「循」，「微行」是小路，「爰」是「乃」，「柔桑」指嫩桑葉。沿著那條小路，去採嫩的桑葉。故知「行」之本義為供人行走的「路」，「詩經。小雅。鹿鳴」：「人之好我，示我周行。」「好」即愛也，「周行」指大路，大家如果愛護我，請指引我一大路。引申為「施行」、「作為」。「論語。公治長」：「道不行，乘桴浮於海。」「桴」指竹木筏，孔子說：我的真理正道如果不能施行，我將乘木筏飄浮海上。凡走過必留痕跡，故引申為「經歷」、「莊子。達生」：「行年七十，而猶有嬰兒之色。」「行草」為書法之一種。「行」用於排列時唸（航），「詩經。大雅。常武」：「左右陳行，戒我師旅。」把隊伍左右排列成行，告誡我的部隊。「行行（音航去聲）」是剛強貌。「論語。先進」：「子路，行行如也。」

## ◆今意

「行」有四種讀音：一、「行（音形）」：如「行人」、「行文」、「行李」、「行事」、「行徑」、「行為」、「行動」、「行省」、「行星」、「行駛」、「行銷」、「行政訴訟」、「行為能力」、「行雲流水」等。二、「行（音航）」：如「行列」、「行市」、「行伍」、「行業」、「男怕入錯行」、「行行出狀元」等。三、「行（音幸）」：如「品行」、「德行」、「行狀」、「行誼」、「行述」、「行比伯夷」、「行同能偶」（德行與才能均相同一致）等。四、「行（音航去聲）」：表剛強之貌，如「子路行行如也。」「行行鄙夫志」則指見識淺薄的鄙夫，總是想做出剛強的樣子。至今第四種讀音已漸少用。「行」是人類生活「食、衣、住、行」四大要件之一，與我們密不可分，缺一不可，如果那天不能走路了，再好的「食、衣、住」都沒啥意思了，所以大家要注意保重身體，沒了健康就沒了一切！

行楷

甲骨文

金文

小篆

行書

甲骨文：是一個正面站立的人，雙臂張開，臂下左右各有小點，是指事的符號，表示腋下之所在，是個指事字。

金文：與甲骨文形義相同。

小篆：與甲骨文、金文形義均相同。

楷書：由小篆字形演變而來，已無「人」形。

亦之簡化字與繁體字相同。

## ◆古義

「亦」是「腋」的本字，後世借「亦」爲虛詞及語助詞後，另造「腋」字以專表肩下與臂下交接處。故知「亦」之本義爲「腋」。當副詞用時是「又」義，「又」指前後上下兩者相須之意，如「亦復何言」，又有什麼好說的呢？又如同語言中的「也」，「莊子。田子方」：顏淵問於仲尼曰：「夫子步亦步，夫子趨亦趨，夫子馳亦馳。」老師慢步走，我也慢步走，老師快走，我也快走，老師跑，我也跑。本是褒獎學生向老師學習，後人亦常用於事事模仿他人的貶義詞。亦常用於語助詞。「詩經。召南。草蟲」：「亦既見止，亦既覯止。」「亦」與「止」均爲語助詞，「覯（音垢）是會面，如果你看到他，如果和他會面。亦引申爲「特」、「但」，「戰國策。齊策四」：「王亦不好士也。」王特別不喜歡士。

## ◆今意

「亦」之本義即今之「腋」、「掖」。被借用為虛詞及語助詞後，多指「又」、「也」之意，文言文中的「亦」在白話文中表示「也」的意思，「論語。學而」：「不亦說乎？不亦樂乎？不亦君子乎？」「不亦」即「不也」，「豈不是」之義。感情豐富但坐困情城的人，最愛吟「唐。李賀」：「天若有情天亦老。」句，世間多情者與失意人常成正比，故而有人對了下一句「月如無恨月長圓。」真乃妙對也！「明。馬柳泉。賣子歎」：「貧家有子貧亦嬌，骨肉恩重那能拋。」慨嘆戰亂饑荒，忍痛賣兒，不忍卒讀也！「清。丘逢甲。離臺詩」：「捲土重來未可知，江山亦要偉人持。」丘逢甲抗日失敗，含恨離臺，誓志捲土重來，但感嘆維護國家領土，還得要偉大的人出來領導、主持，國家才能強盛，否則人為刀俎，我為魚肉，將任人宰割也！

行楷

金文

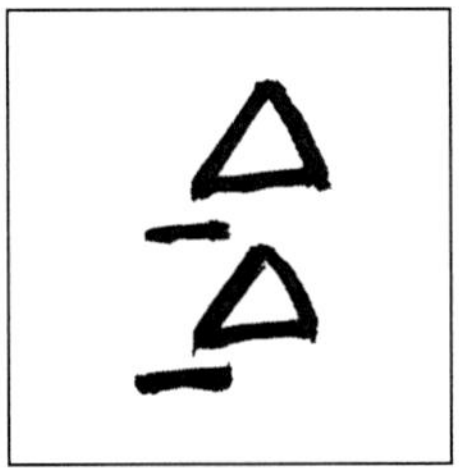

小篆

行書

金文：上下各有兩個三角形及兩個小短橫的金屬熔塊，用以鑄造刀劍戈戟等兵器，是個會意字。

小篆：兩個小短橫變成了冰塊的形狀，「仌」是古冰字，冰遇熱即熔，故以之表示金屬等遇熱即熔之義，兩個三角形則起了不同的變化。

楷書：兩點水代替冰，右邊金屬塊變成台字。

治之簡化字與繁體字相同。

## ◆古義

《說文》：「冶，銷也。」金屬遇熱即化成流體，遇冷則凝固，此與冰同，故「冶」文字形從冰旁。「正韻」：「冶、鎔也、銷也、鑄也。」「史記：平准書」：「冶鑄煮鹽。」即冶煉鑄造兵器及煮鹽以備食用之義。故知「冶」之本義為「熔鑄」。「鑄匠」曰「冶」。「前漢。董仲舒傳」：「金之在鎔，惟冶者之所鑄。」引申為「妖媚」。「易經。繫辭上傳」：「慢藏誨盜，冶容誨淫。」收藏財物輕慢招搖，女子容貌妖冶，引人起淫心也。「冶步」是指走路的姿態瀟灑自然，「後漢書。李固傳」：「槃旋偃仰，從容冶步。」「冶遊」是指尋覓豔侶。「唐。李商隱詩」：「見我佯羞頻照影，不知身屬冶遊郎。」「冶葉倡條」是形容楊柳枝葉婀娜多姿，亦喻指歌妓。「宋。周邦彥詞」：「冶葉倡條俱相識，仍慣見珠歌翠舞。」

## ◆今意

「冶」之本義至今未變，仍指「冶煉」、「鑄造」，但其所引申之義卻有所不同，「冶步」、「冶容」幾已不用，而「冶遊」則專指挾妓出遊，或入風化區玩樂等。裝飾容貌不稱「冶容」，而說「化妝」、「美容」。古時稱讚他人美麗，可用「妖冶」，今則已有貶義，且勿亂用！今之「冶葉倡條」乃喻妓女如花草枝葉，任人玩賞攀折，貶義極重，更與周邦彥詞中，意境大不相同也！「冶」是煉鑄金屬，而非「煉人」，古「王安石。上皇帝萬言書」：「冶天下之士而使之皆有君子之才。」今已不能引用啦！否則天下之才必起而抗之也！

行楷

甲骨文

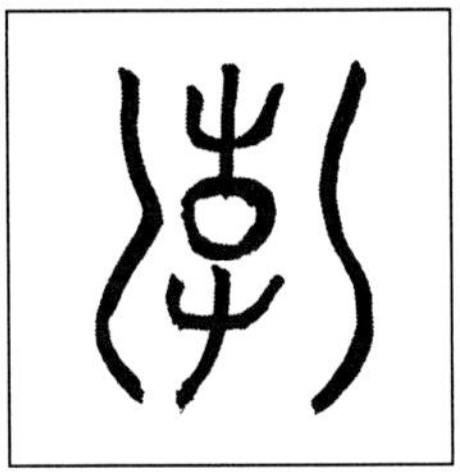
小篆

行書

甲骨文：下半部是個小孩子的形象，頭上像是長出茂盛的頭髮，也像是草盛蓬勃，指小孩生長迅速而蓬勃，是個象形字。

小篆：中間由甲骨文演變而來，頭髮起了變化，兩邊也多了保護的手形，像雙手合掌之形。

楷書：由小篆中間的字形演變而來，已看不出小孩蓬勃生長的樣子。倒像是受到保護。

孛之簡化字與繁體字相同。

## ◆古義

《說文》：「孛，𢍬也，從𣎵、草木盛長𣎵木然也。」「𢍬（音謂）指草木𢍬孛之貌，「𣎵（音潑）」草木盛長，其字形由「屮」與「八」組成，「八」表聲之形聲字。𢍬與𣎵均指草木盛長，故知「孛」之本義爲「蓬勃」、「興盛」。引申爲星之光芒。「春秋。昭公十七年」：「冬有星孛，入於大辰。」「孛」即彗星也。「漢書。文帝紀。文穎注」：「孛、彗形象小異，孛星光芒短，其光四出，蓬蓬孛孛也，彗星光芒長，參參如埽彗。」埽是「掃」的本字，故彗星俗稱「掃帚星」。「孛老」是古戲刻中扮演老人之角色者，扮演盜賊者稱「邦老」，扮演老婦者稱「卜兒」。「孛孛」疊用是指光芒四射之謂。「孛」與「勃」通，如臉色大變的「勃然變色」。又讀（背）音，如「其光孛孛然四射。」

## ◆今意

古時「孛」與「勃」通，「興盛」、「旺盛」之義，「蓬勃」指草木之盛，後舉凡旺盛皆可引申。如「賈誼。旱雲賦」：「遙望白雲之蓬勃兮。」此指雲盛。「文選，潘岳。笙賦」：「鬱蓬勃以氣出。」此指氣盛。亦用於色變，變臉，「孟子。萬章」：「王勃然變乎色。」古時通用，而今則多用「勃」字，如「蓬勃」、「勃然大怒」等，至於「孛老」、「孛孛」亦用得不多，倒是「孛相」仍常用之，是游玩嬉耍之義，亦作「白相」、「薄相」，當您聽到上海朋友說：「有空來白相白相。」就是有空到他家玩玩的意思。

行楷

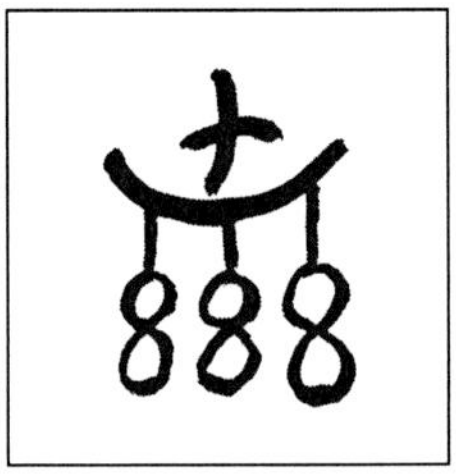

甲骨文

金文

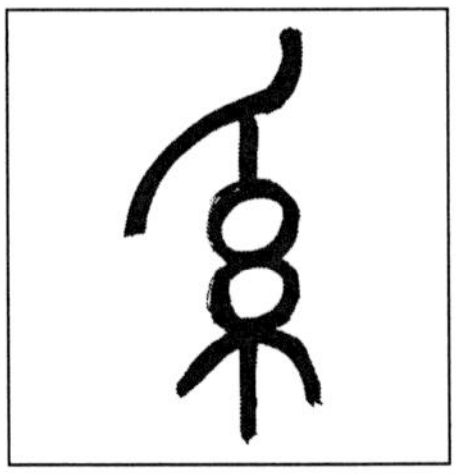

小篆

行書

甲骨文：頂部是隻手形，手下是繫在一起的三串細絲，手提相連之細絲，是個象形字。

金文：較甲骨文簡化，絲變兩串，頂部已無手形，僅一短橫將絲相連，其義不變。

小篆：兩串絲變成了一串，頂上的短橫又變成了爪形，雖更簡化，其義不變。

楷書：由小篆字形演變而來，仍有古義。

系之簡化字與繁體字相同。

## ◆古義

《說文》：「系，繫也。」「繫」者，縛也，連接也。「博雅」：「系，相連繫也。」「通訓。定聲」：「垂統於上面而連屬於下謂之系，猶聯綴也，經傳多以繫為之。」故知「系」之本義為「相繼」、「連接」。舉凡經傳、詩賦、小說、戲曲、文章等均以「起、承、轉、合」，相繼。「晉書。郤洗傳」：「聖明系踵。」聖哲聰明之賢人接踵而至。「系」亦有縛、束之義。「淮南子。精神」：「系絆其足。」繫足曰絆，束之、纏繞之也。「世系」是指世代相承之系次。「系族」則指同姓世系所聯屬的氏族。「系」、「係」、「繫」三者均有「連接」、「承繼」之義，除此之外不能互通替用，如「關係」、「世系」、「繫辭」。

## ◆今意

「系」之古義至今未變，「系」、「係」、「繫」三字在大陸地區均簡化以「系」表之，「繫」當「縛」、「綁」時應讀（記）者，如「繫鞋帶」、「繫上安全帶」等，現在絕大多數的人都唸「繫（音係）上安全帶，應改之為宜！「係」亦當「是」講，如「實係吾弟」，較常用於文言文。我們在簡體字中讀到「系」字時，要前後連貫，以正確明辨其義。今將各種事物有規則的連貫成續，稱「系列」、「系統」。人體的器官能規律互動產生作用的如「呼吸系統」、「消化系統」、「循環系統」等。大學有各種不同的科系，最熱門的是「電機系」，最冷門的是「考古系」，系中最美的女生稱「系花」。如果您不是「系生名門」，不是名門望族，也非明星學校，您要進上，不容易啊！

行楷

甲骨文

或體字

小篆

行書

甲骨文：三條豎線像條流著水的河川，中間有一橫及小半圓形，表示流水被雜物堵塞，即將釀成災害，是個會意字。

或體字：是說文中的或體字，本作「烖」，又作「菑」。觀其筆法，極似金文時期的產物。屋內有火，火將焚屋成災。

小篆：上半部是甲骨文的形義，下半部加了「火」字，水火不容，必成災也。

楷書：由小篆字形演變而來，是水與火的組合。

簡化字：「灾」：是採古或體字之形義以簡化之。

◆古義

由甲骨文至小篆的演變得知，「災」是由「水」與「火」組成的，蓋因水火不相容，水與火均會造成「災害」。《說文》：「災，天火也。」「左傳。宣公十六年」：「凡火、人火曰火、天火曰災。」人為的火稱「火」，天降的火稱「災」。人為的火亦能造成災害，「玉篇」：「災害也。」「左傳。僖公十三年」：「天災流行，國家代有，救災恤鄰，道也。」天災到處都有，各國都會交替發生，協助救災，恤濟鄰國，乃正道也。故知「災」之本義為因水火而發生的「災害」。「左傳。桓公。十四年」：「秋八月壬申，御廩災。」秋季八月十五日，諸侯儲藏祭祀祭祝用的糧倉發生大火。引申為「禍害」，「唐。李商隱詩」：「自古時窮兵是禍胎。」戰爭也會帶來災害。亦作「菑」，「詩經。大雅。生民」：「無菑（音災）無害」。本字為「烖」，「周禮。秋官」：「禍烖殺禮」。

◆今意

現在的「災害」包含甚廣，舉凡雷、電、洪水、狂風暴雪、地震海嘯乾旱水澇等天災，無法控制的意外事故及人為疏失所造成的人禍等，皆可曰「災」，小至個人、團體，大至國家，一旦受災，皆需救援。吾人讀左傳，便知「春秋」時期鄰國有災，必然救之，是謂正道！今之他國有難，各國亦紛伸援手，此「正道」吾人在數千年前即已行之矣！救災之後即是「災後重建」，古時受災，沒保險公司理賠，今之保險公司如春筍林立，人壽、房屋、貨物等災害保險皆在承保範圍，每個人都有很多保單，是意外發生後的一種保障，政府亦設防災救災等部門，訂定完善規範，所謂「人無遠慮，必有近憂。」只憂還好，就怕成「災」！

行楷

甲骨文

小篆

行書

甲骨文：左邊是一個面朝左，彎腰站立的人，右上是個棍棒，右下是隻手形，以手執棒在背後驅使幹活，是個會意字。

小篆：左邊的人形變成「彳」，行走之貌，右上是武器的形狀，右下仍為手形。

楷書：由小篆字形演變而來，已無驅使幹活之本義。

役之簡化字與繁體字相同。

## ◆古義

「玉篇」：「役，使役也。」驅使他人勞動工作之謂，「役」之本義為「驅使」、「役使」。引申為戍邊，《說文》：「役，戍邊也。」戍守邊疆之謂。「詩經。小雅。采薇序」：命將率遣戍役以守衛中國。由「役使」他人做事而引申為「事」，「左傳。昭公十三年」：「為此役也，子若以君命賜之，其已。」為了此事，您若以君王之命令賜之，事情就了結了。亦引申為「致力」、「作為」。「禮記。表記」：「是故君子恭儉以求役仁，信讓以求役禮。」因此，君子總以恭敬儉樸的態度致力於仁，以誠信謙讓致力於禮。亦引申為作戰之「戰役」、「左傳。昭公五年」：「城濮之役，晉無楚備，以敗於邲。」城濮戰役，晉勝而未防備楚國，因此在邲地吃了敗仗。「役役」是指疲役而不休息。「唐太宗。百字箴言」：「耕夫役役，多無隔宿之糧，織女波波，少有禦寒之衣。」「莊子。齊物論」：「終身役役，而不見其成功。」「役」亦「列」也，如禾穀之行列也。

## ◆今意

「役」之初始義為「奴役」，上古之時，大部落併吞弱小部落時，被俘男女均沒為奴，失去自由，任人役使，故與奴隸無異。隨著時代文明，地位亦稍提昇，如「僕役」、「役夫」等，現在連「僕役」、「役夫」都快成絕響了。其所引申之「致力」、「作為」、「事情」、「行列」等，亦漸不用，因戰爭自古迄今從未間斷，故「戰役」仍常用之。有軍隊就有「兵役」，到了應服兵役的年齡稱「役男」，「兵役」的種類分「常備兵役」、「補充兵役」、「國民兵役」及「替代兵役」等，服兵役是國民應盡的義務，與古之「役」大不相同。供人役使的動物如牛、馬、駱駝等稱「役使動物」。以勞動代替服役稱「勞役」，多為犯了過錯，以勞役折抵罰鍰或刑期。

行楷

甲骨文

金文

小篆

行書

甲骨文：是一個面朝左的人，臂部有一條大尾巴，人無尾，鳥獸魚蟲皆有之，「尾」表其義，是個象形字。

金文：由甲骨文演變而來，在尾巴之下多了飾物。

小篆：上半部變成「尸」，下部的尾巴變成「毛」。

楷書：由小篆字形轉換而來，仍有古義。

尾之簡化字與繁體字相同。

## ◆古義

《說文》：「尾，𡳐微也。」「𡳐（音拈）」是柔弱，「釋名。釋形體」：「尾，微也，承脊之末梢微弱也。」古時「尾」與「微」通。生於脊椎末梢之盡處，鳥獸魚蟲皆有之，「易經。未濟卦」：「濡其尾，无攸利，不續終也。」小狐渡河，尾巴被水霑濕了，將無所利，因其努力不能堅持到底也！故知「尾」之本義爲動物的「尾巴」，因「尾」在後，故凡末後皆稱「尾」，如「歲末年尾」、數目的「尾數」、音樂的「尾聲」等。引申爲追隨在後，「戰國策。秦策」：「王若能爲此尾。」如果能夠追隨其後之義，「尚書。堯典」：「仲春鳥獸孳尾。」乳化曰孳，交接曰尾、春氣宜和、鳥獸合尾、孕育生殖之謂。「尾」亦姓也，「尾生」是春秋時魯國人，「莊子。盜跖」：「尾生與女子期於梁下，女子不來，水至不去，抱梁柱而死。」此「尾生之信」成語出處，比喻堅守信約，後人亦有用於「愚信」者。「尾宿」是二十八宿之一。

## ◆今意

「尾巴」是一特有名詞，「尾」之語音為（以），除了「尾（音以）巴」以外，餘均讀「尾（音偉）」。最常用的成語有「尾大不掉」，語出「左傳。昭公十一年」：「末大必折，尾大不掉，君所知也。」申無宇回答楚靈王說：樹枝太大，主幹一定會折斷，尾巴太大，就不易擺動，此乃君王所知的道理。比喻上弱下強，指揮不動，亦如今之領導人大權獨攬，不敢輕易下放，其理在此也！「尾生」憨厚守信、恐係莊子筆下寓言，誠千古一人，絕無來者！

考試、比賽等排名如「孫山」者，俗稱「吊車尾」，敬陪末座之謂。「尾進」是跟在別人後面緊追不捨，適用於各種成績的追趕，但開車千萬別追太緊，以免造成「追尾」之憾！「尾」亦用於計數名，如「一尾魚」、「一尾活龍」。

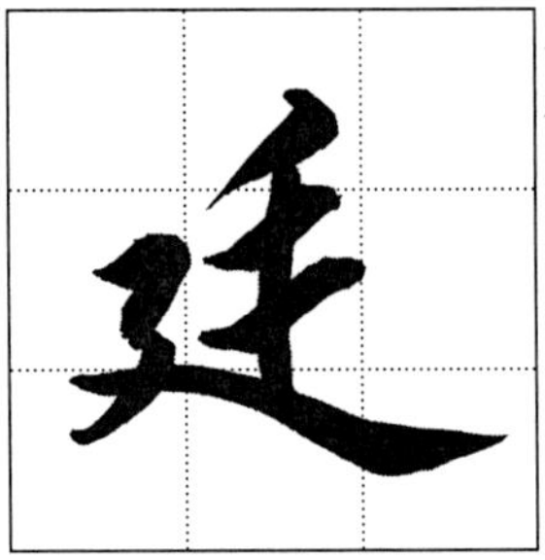
行楷

金文

小篆

行書

金文：左邊是一道圍籬或圍牆之形，圍籬內有土，右邊是一個面朝左站立的人形，正在彎腰勞動，是個會意字。

小篆：圍籬變得多層，「土」變到「人」的下方。

楷書：由小篆字形演變而來，已不見人形與古義，廷之簡化字與繁體字相同。

廷之簡化字與繁體字相同。

## ◆古義

「廷」是「庭」的本字，「詩經。唐風。山有樞：「子有廷內，弗洒弗埽。」」「廷」即「庭」，屋之中庭，「內」指堂與室，「埽」與「掃」同。」。你有房屋，卻不灑掃庭除。故知「廷」之本義為「庭院」。後被擴大引用為君主視朝布政之所，後人遂加广（音眼、屋也。）」為「庭」，以與「朝庭」區別。《說文》：「廷，朝中也。」「廣韻」：「廷者，平也。」「韻會」「廷者，直也。」舉凡縣廷、郡廷、朝廷等，皆取平均正直也。「韓非子。孤憤」：「無能之士在廷。」泛泛無能之輩在朝廷當官。「廷尉」是秦漢之時掌理刑獄的官，顏師古曰：「治獄貴平，故以為號。」明朝時，官吏有過失，杖責於殿陛下，謂之「廷杖」。在朝廷上當眾直言敢諫，據理力爭者稱「廷爭」。皇帝親自在宮殿主持的考試稱「廷試」或「殿試」，第一名稱「廷魁」，亦即「狀元」。

## ◆今意

「廷」被借用專指「朝廷」後，另創「庭」字表「門庭堂院」，亦今俗稱之「廳」，至今已非專制時代，「朝廷」一詞已不宜引用，其所衍生之「廷尉」、「廷杖」、「廷試」等亦同時隨之進入歷史。今之學生總嫌中華民族的歷史太長，讀來辛苦，還是美國學生幸福，短短幾頁就搞定，殊未解中華文化悠久與博大也，其中盡皆啓迪後輩，發人深省之處。「後漢書」：「盛吉為廷尉，每至冬節，罪囚當斷，妻夜執燭，吉持丹筆，夫妻相對，垂泣決罪。」古時以朱筆謄錄罪犯名冊稱「丹書」，其筆稱「丹筆」。後漢時，盛吉任「廷尉」，掌管刑獄，常同情犯人曹遇，頗有憐憫之心，每到斷獄之時，常不忍而泣，此足為今之法官大人借鏡也！

行楷

甲骨文

金文

小篆

行書

甲骨文：中間是一個正面站立的人，左右兩邊各站一個面向中間的小人，像是在幫助他，輔佐他，是個會意字。

金文：與甲骨文形義相同。

小篆：形與義均同於甲骨文、金文，惟左右的人變小了。

楷書：由小篆字形轉換而來。

夾：「夹」：簡化字：是楷書的簡寫，也是行書、草書的寫法，今用於簡化字。

## ◆古義

「韻會」：「夾，左右持也。」「左傳，僖公二十六年」：「昔周公、大公股肱周室，夾輔成王。」「大公」是指姜太公，「夾輔」是在左右輔佐，從前周公與姜太公輔助周王朝，一左一右輔佐周成王。故知「夾」之本義為「輔佐」、「幫助」。引申為「近」，「尚書、多方」：「爾曷不夾介乂我周王，享天之命。」「夾介」是左右夾侍、輔佐也，乂（音義）指以才能相助也。亦引申為「夾室」，是家廟中藏祧主之室，在堂的兩端，「祧（音挑）」是指高祖之祖的遠廟、天子七廟、諸侯五廟、大夫三廟、士一廟、庶人祭於寢，八品以下廟三間，左右有房無「夾室」。「複衣」曰夾，有「夾層」、「夾裏」的衣服之謂，如「夾襖」。「夾」與「鋏」同，即「劍把」也。「夾」亦通「狹（音匣）」，指「狹窄」，「後漢書。東夷傳」：「其地東西夾・南北長。」地之形勢為東西狹窄，南北形長。

## ◆今意

「夾」是來自左右的力量，故在戰爭中常運用「左右夾擊」的戰術。人在左右都有壓力的困境中求生存稱「夾縫求生」。最近常見「偶像」來了，粉絲在道路兩旁「夾道歡呼」，其熱情勝過父師長。春秋天穿的雙層布織的衣服稱「夾衣」，現在房屋的木門很多採用三片薄木壓製而成，稱「三夾板」或「合板」。從兩面相對夾持的工具如「卷夾」、「書夾」、「皮夾」等，想以蒙混手法攜帶不法之物稱「夾帶」，如「夾帶」小抄、毒品等闖關。宋朝呂蒙正為相時，常將所晤賢才記入夾袋小冊中，俟機錄用，時稱有「夾袋中人物」。今之「夾」已不與「鋏」、「狹」通。要注意的是「夾」與「夾」極相似而易寫錯，「夾」從雙人，「夾（音閃）」從雙入，是偷東西藏於腋下之義。「夾」還有一個讀音（嫁），如「夾生」，是指飯菜煮得半生不熟之義。

行楷

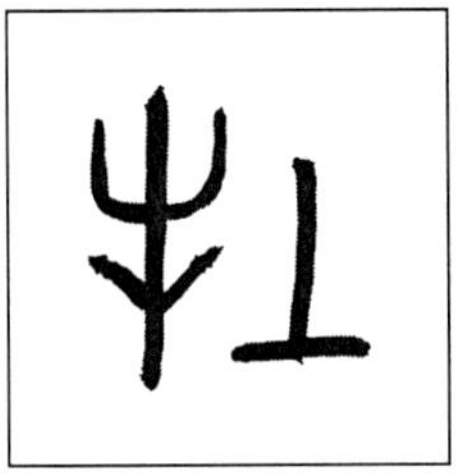
甲骨文

金文

小篆

行書

甲骨文：左邊是頭「牛」，右邊的「丄」是上古時期的「上」，亦是代表雄性牛、羊、馬、豬、鹿及鳥類的符號，是個會意字。

金文：右邊變成了「土」字，表聲，左邊仍是「牛」，表形，此時變成了形聲字。

小篆：與金文字形字義完全相同。

牡：楷書：由小篆字形轉換而來。

牡之簡化字與繁體字相同。

## ◆古義

《說文》：「牡，畜父也、從牛、土聲。」「畜父」是指雄性的禽獸類。「詩經・邶風・匏有苦葉」：「雉鳴求其牡。」雌性的野雞在鳴叫，尋找雄性的配偶。雄雉曰牡，雌雞曰牝。「傳」：「飛曰雌雄，走曰牝牡。」「禮記・檀弓」：「司寇惠子之喪，子游為之麻衰，牡麻絰。」「麻衰」是以吉布披於胸，「牡麻」是雄株的大麻，在司寇惠子的喪禮上，子游披麻衰，紮牡麻絰，在靈前弔喪。故知「牡」之本義為「雄性的禽獸類」。因雌雄而引申為「鎖匙」。「禮記・月令」：「戒門閭・修鍵閉。」「鍵」是「牡」、「閉」是「牝」。「疏」：「凡鑠器入者謂之牡，受者謂之牝，若禽獸牝牡然。」「牡丹亭」又名「還魂記」，是「明・湯顯祖」所撰的劇曲，另有「臨川四夢」、「南柯記」、「邯鄲記」、「紫釵記」等均傳奇美豔，頗為後世稱道。

## ◆今意

「牡」之本義原指「公的禽獸」，現已極少用之，而常用之語詞卻與雌雄毫無關係。譬如被稱為花王的「牡丹」，每年春末夏初開花，有紅、白、黃、綠、紫等色，非常美麗，清朝時，有反清人士以「牡丹非正式，異種也稱皇」句諷刺之！很多風流人士常以「牡丹花下死，做鬼也風流！」自嘲「牡丹」雍容華貴，種之以盆或瞻之於畫可也，靠近不得！「牡蠣」是淺海的軟體動物，在台灣稱「蠔」，或蚵（音娥）」，多以人工養殖，含豐富蛋白質，不論蒸炒或燒湯，味均鮮美！「牡羊座」是二十四星座之一，跟雌雄更無關係了！

行楷

甲骨文

金文

小篆

行書

甲骨文：上半部是個牛頭之形，下半部是個「口」，以口相傳，讓人知道這頭牛是會觸傷人的，告知也，是個會意字。

金文：與甲骨文形義相同。

小篆：字形不變，是小篆對稱的筆法。

告：楷書：由小篆演變而來，仍有古義。

告之簡化字與繁體字相同。

## ◆古義

《說文》：「告，牛觸人、角著横木，所以告也，從口從牛。」牛會觸傷人，所以牛角用横木綁起來，告訴別人小心之謂。「玉篇」：「告・語也。」以言語告知別人。「尚書・禹貢」：「禹錫玄圭、告厥成功。」「錫」同「賜」，「圭」是美玉，「厥」是「其」，帝舜賜給禹深黑色的美玉，告訴他治理中國已經成功。「莊子。庚桑楚」：「未也・吾固告汝曰。」老子對南榮趎（庚桑楚的學生）說：還沒有，我已經告訴過你了。故知「告」之本義為「告訴」。引申為「問」、「禮記・王制」：「八十月告存。」「存」是致意，八十歲時，天子每月都會派人前往問候致意。當「勸導」時讀「固」、「論語・顏淵」：「忠告而善道之，不可則止，毋自辱焉。」朋友有錯，要善加導正，如不聽從，則即停止，不要自討沒趣。「告」亦讀「菊」音，「禮記・文王世子」：「亦告於甸人。」「甸人」是主行刑之官，犯罪被處以墨刑、刖刑，要報告「甸人」。

## ◆今意

「告」今多用於「告訴」、「報告」、「控告」、「告白」、「告假」等。天主教徒向神父表白自己的錯誤，神父代表天主赦免其罪稱「告解」。一人不笑大家笑，是在說笑，大家不笑一人笑，是在做報告。因政治理念不同或權益受損，常有人到法院門口「按鈴申告」，控告對造罪行！「告白」原指對社會大眾的通告，今常用於對戀人的真情告白！「告假」是請假，年老辭職稱「告老還鄉」，拜訪他人，向主人辭別稱「告辭」、「告退」。平日如不養成儲蓄的習慣，一旦「錢糧告罄」，可能「求爺爺、告奶奶」都「告貸」無門，早知如此，何必當初！

行楷

甲骨文

金文

小篆

行書

甲骨文：上半部是一個捕捉禽獸鳥類的長柄網，右下方是隻手形，以手持捕獵長網到野外打獵謂之事也，是個會意字。

金文：由甲骨文演變而來，手在正下方。

小篆：由金文演變而來，柄與手已連成一體。

事之簡化字與繁體字相同。

## ◆古義

「韻會」：「大曰政、小曰事。」官府所治公事曰政，故大至國家的事稱「政」，家庭、朋友、個人等之所作所為稱事。「禮記・大學」：「物有本末，事有始終。」故凡人類之所有作為皆可曰「事」，此係由捕獵之本義引申而來也！「尚書・大禹謨」：「六府三事允治」：「三事」指正德、利用、厚生。「詩經・小雅・雨無正」：「三事大夫，莫肯夙夜。」「三事大夫」是指天子之三公，即太師、太傅、太保，都不肯為國盡忠。亦指「三農之事」，「周禮・天官・大宰」：「三農生九穀。」三農指平地、山、澤。「宋・呂本中・官箴」：「當官之法，惟有三事，曰清、曰慎、曰勤。」此乃居官者當守之三事也。引申為「侍奉」、「禮記・曲禮」：「年長以倍，則父事之。」年紀比自己大一倍以上的，則以父輩之禮對待。「事」亦有「件」義，一件指「一事」，如「一事件」等。

## ◆今意

「宋・呂本中」官至中書舍人，因忤逆秦檜而罷，世稱東萊先生，其所著「官箴」：「清、慎、勤」至今仍適用於為官者。而今之求職，所計較者為「錢多、事少、離家近。」此三事較之古人遠矣！「孟子・公孫丑」：「故事半古之人，功必倍之。」所施之恩惠，僅古人之一半，而功倍之，較古人易行之義。今則多指小勞力、大收獲，與古義有別，其反義為「事倍功半。」「禮記・中庸」：「凡事豫則立，不豫則廢。」豫是事前的準備，有完善準備者必成，反之必敗。今人不論求學處事亦然，英語常用句中有：「你準備好了嗎？如果沒有，則必「一事無成」。

行楷

甲骨文

金文

小篆

行書

甲骨文：像一個面朝左跪坐的婦人，雙手抱著一個小孩，胸前一小橫代表乳房，正在給小孩餵奶，是個象形字。

金文：兩側像是雙手環抱，中間是小孩之形，因似乳汁下滴，故為哺乳之義。

小篆：左上方是手爪，爪下是子，右邊是取金文之環抱手形，哺乳之義不變。

乳：楷書：由小篆字形轉換而來，隱約仍有古義。

乳之簡化字與繁體字相同。

## ◆古義

《說文》：「乳，從孚從乙、乙者、玄鳥，人及鳥生子曰乳，獸曰產。」人生子曰「乳」，鳥產卵曰乳，甫出生之鳥亦曰乳，如「乳燕」、「乳」之本義為「哺乳」，對甫生之子餵食奶水也，因餵奶而引申為「嬰兒」、「乳燕」等義。「乳」亦「（音湅）」，乳汁也，引申為「養育」、「澤被」。「白虎通」：「文王四乳，是謂至仁。」周文王哺育四方百姓，可稱至仁也。「賈思勰・齊民要術・養牛」：「羊羔乳食其母。」小羔羊吃母羊的乳水。嬰兒在哺乳期所呼之名稱「乳品」，非其母而乳之者稱「乳母」，古稱「嬭（音乃）母」，俗稱「奶媽」。「乳牀」是石筍的異名，指桂林宜融山等洞穴中之鐘乳石，白如玉雪，似牀似筍，各貌神奇，「乳牀」有自頂下垂者，如倒立之小山峯，堪稱乳石奇景。「乳鉢」是指研舂極細小藥物之器具，多用於藥材。

## ◆今意

「乳」之古義至今未變，仍指哺育初生之嬰兒，窮苦家庭，乳之不足者，則以米湯代替，余襁褓時期多吮此物長大。今之社會進步，生活品質提高，多以奶粉、鮮乳代替，米湯哺嬰已未之聞也！「乳酪」是從乳汁中提煉而成，多來自畜牧，以牛羊為大宗，今之西點麵包多有加之。「乳臭」古指口中尚有乳味，仍然年幼，不能成大事，今則多以「乳臭未乾」、「乳臭小兒」喻人幼稚無知，貶義極重，切勿濫用！另如「認賊作父，有奶便是娘」等更要慎重啦！

行楷

甲骨文

金文

小篆

行書

甲骨文：外形像間房子，房裡擺了一張祭祀的桌子，桌上有祭祀的物品，此即祭祀祖先的宗廟也，是個會意字。

金文：由甲骨文水演變而來，中間的祭桌變「示（音岐）字，「示」是古「衹」字，指「神衹」。

小篆：由金文演變而來，其義不變。

宗：楷書：由小篆字形演變而來，仍有古義。

宗之簡化字與繁體字相同。

## ◆古義

《說文》：「宗。尊祖廟也，從宀從示。」「徐錯」曰：「宗廟神祇所居。」「宗廟」是祭祀先人之宮室。「禮記・中庸」：「宗廟之禮，所以祀乎其先也。」宗廟之禮儀，是用來祭祀祖先的。故知「宗」之本義為「宗廟」。同祖曰宗，直系為「大宗」，支系為小宗，「同宗」是指同其大宗，同祖同姓之謂，若同姓別宗則非同宗也！「宗邑」是指「宗廟」所在地。「左傳・襄公二十七年」：崔，宗邑也，必在宗主。」崔邑是宗廟所在地，必須由宗子（嫡長子）繼承所有。「宗室」是指大宗之廟，「詩經・召南・采蘋」：「于以奠之？宗室牖下。」「奠」是祭献、安置，牖（音友）指窗，在那裡祭献呢？在宗廟的窗下。引申為派別，如佛家有禪宗、密宗、道家有南北宗之別等。凡物之彙集一處，分門別類謂之一宗，居大數者稱「大宗」。

## ◆今意

「禮記・王制」：「天子七廟、諸侯五廟、大夫三廟、士一廟，庶人祭於寢。」士與大夫均有合祀祖先之「家廟」，亦即「宗祠」，庶人不設宗廟，祖宗牌位都設置於嫡長子的住所，故謂「祭於寢」。今者，除少數大家族仍保有祖廟、宗廟、家廟外，一般庶民則仍「祭於寢」，當官的也沒有自設家廟的禮制了。古時對同一祖先所出之男系血統的同宗親屬稱「宗親」，今者，對雖不同宗，但同姓之人亦有稱「同宗」者，情誼、友誼、宗親之諸無遠弗居也！「宗」亦根本，我們常說「萬變不離其宗」，不論如何改變，都不要「離根捨本」！

行楷

甲骨文

金文

小篆

行書

甲骨文：外形像一間房屋，屋內是個「𠂤(音堆)」，是「堆」的本字，小阜也，表示兩座小土山，房屋蓋在有高度的小山上，是官吏之公所也，是個會意字。

金文：由甲骨文演變而來，小山變成「阜」形。

小篆：由金文演變而來，字形筆法化。

楷書：由小篆字形演變而來，上屋下阜，仍有古義。

官之簡化字與繁體字相同。

## ◆古義

《說文》：「官，吏事君也。」為君王做事的人。「玉篇」：「官，宦也。」事人者曰官。「易經・繫辭下傳」：「百官以治，萬民以察。」百官用以辨理政務，百姓用以明察事理。「官」之本義為朝廷治事之所，「禮記・玉藻」：「在官不俟屨。」臣子在朝廷治事之處被召見，不及穿鞋就要出發。引申為「仕」，為官之人也。「禮記・雜記」：「宦於大夫者之為之服也，自管仲始也。」大夫的部屬替大夫服喪，是從管仲開始的。亦引申為「事」，各安其位，各司其事。「禮記・樂記」：「禮樂明備，天地官矣。」禮樂制定完備後，天地運行便能各安其位，各司其事了。亦「職」也、「使」也、「公」也、「禮記・王制」：「論定，然後官之，任官，然後爵之。」經天子決定後，則委以官職，如能勝任其職，再給予爵位。人體之耳、目、鼻、口、心稱「五官」，與古天子之司徒、司馬、馬空、司士、司寇等稱五官有別。

## ◆今意

「官」之本義為「官府」、「官衙」，今多用於其引申義。古人十年寒窗苦讀，為的就是金榜提名，獲得一官半職，在士、農、工、商時代，萬般皆下品，惟有讀書高，書讀得好，功名自來。今之當官者，把書先讀好是必然，但品德更重要，否則亂綱敗紀，禍國殃民將數百倍於不擅讀書者。「老百姓常說：「民不與官鬥。」蓋因「官官相護」，任您說破了嘴，不如「官」字兩張嘴，如此負面印象，其然乎？為官者宜慎思也！每個人都「家家有本難唸的經」，但「清官難斷家務事」，不論多賢德清廉都解決不了的，還是讓當官的用心解決國家大事吧！

行楷

甲骨文

金文

小篆

行書

甲骨文：外形像是祭祀用的木製禮器，裏面有兩層放置牛羊肉的祭品，「宜」與「俎」在古文中曾為同義字，皆祭享時載牲之器，是個象形字。

金文：由甲骨文演變而來，裡面的祭品更像兩塊肉。

小篆：外形變成房屋狀，兩層祭品簡化為一。

楷書：由小篆字形演變而來，已不見祭享之形義。

宜之簡化字與繁體字相同。

## ◆古義

「尚書・泰誓傳」：「祭社曰宜。」「社」指后土，亦即社神、土地之神也。故知宜之本義為祭祀社神。由祭祀引申為「安」。《說文》：「宜，所安也。」「禮記・王制」：「齊其政，不易其宜。」統一四夷的行政措施，不要改變他們安定的生計。由安定引申為「適宜」「和順」。「詩經・周南・桃夭」：「之子于歸，宜其室家。」這位姑娘出嫁，能使她的家庭和順。亦引申為「應當」、「合適」。「禮記・樂記」：「則夫（武）之遲久，不亦宜乎！」如此以來，（大武）之樂舞反映了武王的德行與功業，時間雖長，不亦相當合適嗎？由祭祀亦引申為「佳餚」。「詩經・鄭風・女曰雞鳴」：「宜言飲酒，與子偕老。」「宜」是動詞，指烹飪，我做好佳餚與你相飲，願與你白頭到老。

## ◆今意

「宜」之本義已失，其引申義則延用迄今，祝賀別人嫁女常用「宜室宜家」，讚美別人不論喜怒都很美說「宜嗔宜喜」，最貼切傳神的是蘇東坡：「欲把西湖比西子，淡粧濃抹總相宜。」人美、風景美，不用化粧自然美。有些食物「蒸、炒、煮、炸皆相宜。」但如過量，亦不宜也！「宜」字出現最多的地方是在農民曆上，每天都告訴您「宜」與「忌」的事物，犯忌的千萬別碰，不信者，認為「諸事皆宜」，自可率性而為！「宜人」是明清兩代對五品命婦的封號，現多用於「景色宜人」。打麻將贏了錢，可千萬別再去，因為「朱子治家格言」告訴我們：「得意不宜再往！」否則，必輸得精光。

行楷

金文

小篆

行書

金文：上部是兩面斜下的屋頂，中間是橫樑與大柱，柱下的口形是座基石，是間簡易形的房屋，是個會意字。

小篆：與金文相似，是小篆對稱的筆法。

楷書：由小篆筆法轉換而來，仍具古形古義。

舍之簡化字與繁體字相同。

## ◆古義

《說文》：「市居曰舍。」「舍，行所解止之處，「解止」即停下休息，「周書・大聚解」：「二十里有舍。」舍即待行旅休息之客館也。「詩經・小雅・何人斯」：爾之安行，亦不遑舍。」「遑」是閑暇，「舍」是止息，你緩慢行走，沒有閑暇停下休息。故知「舍」之本義為「客館」。引申為居室。「禮記・曲禮」：「將適舍，求毋固。」「固」指鄙固無禮，將去別人家拜訪，一定要做到不鄙野無禮。軍行三十里為一舍，古時行軍，日行三十里即安營休息，故三十里為一舍，「左傳・僖公二十三年」：「晉、楚治兵，過於中原，其辟君三舍。」「治兵」指交戰，「中原」指黃河中游地區，「辟」即「避」，重耳回答楚成王說：如果晉、楚兩國交戰，在中原相遇，將令晉軍退避九十里。「退避三舍」成語出自此也。亦與「捨」同，如「舍本逐末」、「不舍晝夜」等。

## ◆今意

「唐・王維・渭城曲」：「渭城朝雨浥輕塵，客舍青青柳色新。」「客舍」即今之「旅館」、「飯店」、「酒店」等。今謙稱自己居家住處為「寒舍」、「敝舍」、「舍間」、「舍下」等，謙稱低於己之親屬如「舍弟」、「舍妹」、「舍侄」、「舍親」等。學校或單位有提供宿舍者，其負責管理之人稱「舍監」。「舍」當「捨棄」用時，今人常喜歡加提手旁為「捨」，如「捨生取義」、「捨本逐本」、「捨己從公」、「捨近求遠」、「捨短取長」等，以與「宿舍」區別，「舍」為名詞，「捨」為動詞。加提手旁作別，其成理也！「舍利」是梵語，亦稱「舍利子」，是佛身火化後，所遺成珠狀的顆粒，顆粒愈多，表示其修行愈高。其實我是喜歡「唐・杜甫・客至」：「舍南舍北皆春水，但見群鷗日日來。」那種居家環境，肯定能多活上幾年。

行楷

甲骨文

金文

小篆

行書

甲骨文：上半部是一隻腳形，腳趾朝上，腳跟朝下，表示向外走之形，下半部是「王」，像斧頭之形，表聲，是個形聲字。

金文：左邊加了「彳」，表示行動，右邊仍是上「趾」下「王」之形。

小篆：與金文之形相同，是小篆的筆法。

往：楷書：腳趾簡化為一點，已不見古義。

往之簡化字與繁體字相同。

## ◆古義

《說文》：「往，之也。」「之」者，到也，「詩經・鄘風・柏舟」：「之死矢靡它。」發誓到死都不要別人，只要他。「玉篇」：「往、行也、去也。」「左傳・昭公七年」：「取而臣以往。」「而」即「你的」，楚靈王對無宇說：把你逃跑的看門人帶走吧！「易經・履卦」：「素履，往无咎。」「素」指樸實，樸實地踐履行事，勇往前行，沒有災害。「禮記・曲禮」：「禮尚往來，往而不來，非禮也；來而不往，亦非禮也。」「尚」是崇尚，「往來」是有來有往，是人與人間的交際、互動和回報。故知「往」之本義為「去」、「到」。引申為「古往」、「往昔」。「論語・八佾」：「成事不說，遂事不諫，既往不咎。」孔子責備宰我：已成之事不要再說，必成之事不用勸諫，既然你已說出不能收回，也就不必再追究了。人死亦曰「往」，「往生」是佛家語，往極樂淨土也！

## ◆今意

「往」之古義至今未變，「古往今來」都是常用字之一，「往」較文言，「去」、「到」較白語，「往」指方向，「去」指行動，但常連用，如「您往那兒去」？「千字文」：「寒來暑往，秋收冬藏。」是人類依大自然的規律而運作。「迎來送往」用在貿易，作生意，則財源滾滾，無往不利，如用在小職員、小主管，則不堪其苦。「往往」是指「每每」、「經常」，表示以往常有的言行。人總對以往之事多所追惜，「五代、李煜、子夜歌」：「往事已成空，還如一夢中。」「浪淘沙」：「往事只堪哀，對景難排。」也許有人說：詩人喜歡無病呻吟，很多人提起當年之勇，口沫橫飛、神清氣爽。老年人常活在回憶裡，唱起「往事只能回味」別有滋味，如由小孩來唱、聽者總覺少了一份滄桑！

行楷

甲骨文

金文

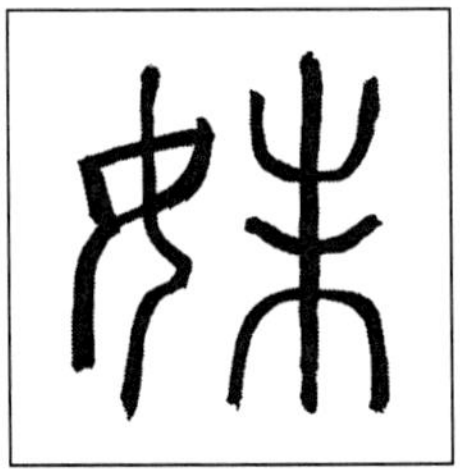

小篆

行書

甲骨文：左邊是個「未」，右邊是個「女」，「未」表聲，「女」表形，是個形聲字。

金文：由甲骨文演變而來，右邊的「女」由跪姿變立姿，其義不變。

小篆：「女」與「未」對調，是小篆的筆法。

妹：楷書：由小篆字形轉換而來，古義未變。

妹之簡化字與繁體字相同。

## ◆古義

《說文》：「妹，女弟也。」「女弟」並非女子的弟弟，而是妹妹，「爾雅．釋親」：「男子先生為兄，後生為弟。」又女子後生亦稱弟。「孟子．萬章」：「彌子之妻與子路之妻，兄弟也。」衛靈公的幸臣彌子瑕，他的妻子和子路的妻子是姊妹。「詩經．衛風．碩人」：「東宮之妹．邢侯之姨。」「東宮」指太子，莊姜是齊太子的妹妹，邢侯的姨子。故知「妹」之本義為「妹妹」。另同母異父曰外妹，「左傳．成公十一年」：「聲伯嫁其外妹于施孝叔。」聲伯把他同母異父的妹妹嫁給施孝叔。「妹」亦是對少女的稱呼，「易經．說卦」：「兑三索而得女，故謂之少女。」兑卦是乾坤第三次求合而得的陰卦，陰爻在上位，故稱少女。「妹喜」是夏桀的妻子，「國語．晉語」：「昔夏桀伐有施、有施人以妹喜女焉。」有施是喜姓之國，「漢書．古今人表」作「末（音沫）嬉」，亦作「妹（音沫）嬉」。「妹」亦通「沫」。

## ◆今意

女子先生為「姊」，後生為「妹」，直至今日稱呼未變，古時亦有暱稱妻子為「妹妹」的，「北齊書．南陽王綽傳」：「呼婦為妹妹」。今對妻之暱稱除「妹妹」外，還有很多，只要聽者舒服，受用，無一不可。「姊妹」都無限光彩的是「白居易．長恨歌」裡的：「姊妹兄弟皆列土，可憐光彩生門户。」因楊貴妃受到君王寵愛，她的姊妹兄弟亦都封侯或封夫人，無限光彩照耀揚家門户。現在稱妹妹的丈夫為「妹夫」，或「妹婿」，志同道合的女性聚合組成的稱「姊妹會」，玩在一起的死黨稱「姊妹淘」。

行楷

甲骨文

石文

小篆

行書

甲骨文：左邊是頭「牛」，表形，右邊是一把刀，旁邊的小點是削下沒用的東西，是個「勿」字，表聲，是個會意兼形聲字。

石文：由甲骨文演變而來。

小篆：與石文字形字義相同。

物：楷書：由小篆字形演變而來，古義仍存。

物之簡化字與繁體字相同。

## ◆古義

《說文》：「物，萬物也，牛為大物，天地之數起於牽牛，故從牛，勿聲。」牛乃物之大者，故舉牛以包眾物。「玉篇」：「凡生天地之間，皆謂物也。」不論「動物」「植物」、「礦物」、「微生物」等均稱「物」。「易經•乾卦」：「雲行雨施，品物流行。」像雲彩的飄行，雨水的降臨，萬事萬物的流變，形成自然的運行。故知「物」之本義為「萬物」。引申為「事」，「禮記•哀公問」：孔子對曰：「不過乎物。」孔子回答說：不要踰越事物應有的道理、「物」亦「色」也，「詩經•小雅•無羊」：「三十維物，爾牲則具。」「物」是雜色牛，「具」者，備也，古代祭祀須備妥各色牲畜，有三十頭各色牛兒，你的祭牲已備妥。引申為「雜帛」、「周禮•春官•司常」：「雜帛為物。」「雜帛」亦旗幟名。亦引申為「相」、「看」、「觀察」、「左傳•昭公三十二年」：「物土方，議遠邇。」觀察取土的方位，商議取土的遠近。「物」亦指「識別」、「標識」、「標記」等。

## ◆今意

「物」之品類繁多，各有異同，故有「物以類聚」之語，今則多用於貶義詞。「物傷其類」是同類受到傷害，自己感同身受而悲之，如「兔死狐悲，物傷其類」。「物望」是眾所仰望，如多爾袞致史可法書：「予向在瀋陽，即知燕京物望，咸推司馬。」古之商品交易有「物物交換」的經濟行為，今之消費都要求「物美價廉」。「物價指數」可以反映某個時期裡的物價變化。在醫學上用光、電、聲、冷、熱、核磁等方法治療疾病者，稱「物理療法」，因物體的存在可認定其為事實之根據者，稱「物証」，在法律訴訟上是很有利的「証物」！

行楷

甲骨文

金文

小篆

行書

甲骨文：左邊是三橫一豎，像是在木竹上雕劃出來的痕跡，右邊是把刀形，用刀雕刻之義，是個象形字。

金文：與甲骨文形義均同。

小篆：上半部與金文相同，下半部是個「大」，其本字爲「栔（從木）」，契、楔、鍥等均爲「栔」之假借字。

契：楷書：由小篆字形轉換而來，仍有古義。

契之簡化字與繁體字相同。

## ◆古義

「契」與「栔」通，刻也。「詩經・大雅・緜」：「爰始爰謀，爰契我龜。」「爰」是語助詞，「於是」之義，於是開始策畫，於是刻我占卜的龜板。「契」亦「刻斷」也。「爾雅・釋詁」：「契，絕也。」刻斷也。今江東呼刻斷為契斷。」引申為「書契」、「契約」。「易經・繫辭下傳」：「上古結繩而治，後世聖人易之以書契。」「書契」指文字。「禮記・曲禮」：「献粟者執右契。」「契約」即「券要」，有左右之分，兩造各執其一，合之為信，「右契」可以取責，故以「右契」為尊，因「左契」僅待合而已也。「前漢・高帝紀」：「帝與功臣剖符作誓丹書鐵契。」文以丹書，契以鐵製，須賜功臣得以傳世，用於免罪者也。亦引申為「合」。「詩經・邶風・擊鼓」、「死生契闊，與子成說。」「契」是合，闊是離，「成說」是約定，不管生死離合，都與你立下約定。「契」讀（切）時，與「鍥」、「怯」同，如「鍥而不捨」、「怯懦」等。

## ◆今意

「契舟求劍」語出「呂氏春秋，察今」：「楚人劍自舟中墜水，遽契其舟曰：「是吾劍所墜也。」舟已行而劍不行，不亦惑手？今指情勢變化，時過境遷，不能墨守成規，不知變通也！「契」所引申之「書契」、「契約」等仍沿用至今，古「契約」分左右，「右契」可責取財物，故以「右契」為尊，今之契約分甲、乙兩方，出具標的者為甲方，承攬承租、借款、借物者為乙方，雙方所持「契約」均具同等法律效力，無尊卑之分。不動產等買賣所衍生之稅稱「契稅」。「契合」多用於法律訴訟及男女之情投意合。「契兄弟」、「契姊妹」，則指盟約換帖的義兄弟、義姊妹，俗稱拜把兄弟、姊妹。

行楷

甲骨文

金文

小篆

行書

甲骨文：上半部是兩縷細絲，下半部是一盆火，火繞細絲，其光微弱也，是個會意字。

金文：由甲骨文演變而來，下部火形有改變。

小篆：由金文演變而來，但火形卻較甲骨文高。

幽：楷書：由小篆字形轉變而來，仍有燃絲古義。

幽之簡化字與繁體字相同。

## ◆古義

《說文》：「幽，隱也。」隱者、蔽也、隱藏也。「爾雅．釋詁」：「幽，微也。」隱藏不顯露也。以火燃細絲，其光微弱也，故知幽之本義為「光微」、「不顯露」。引申為「深」、「爾雅．釋言」：「幽，深也。」「玉篇」：「幽，深遠也。」「詩經．小雅．斯干」：「秩秩斯干，幽幽南山。」「秩秩」指清澈；「斯」，此也；「干」通澗，清澈的澗水，幽深的終南山。「詩經．小雅．伐木」：「出自幽谷，遷于喬木。」自深谷飛出，遷至高大的樹木。亦有「闇」義。「玉篇」：「幽，不明也。」闇也，昏時也。「禮記．禮運」：「是謂幽國。」不知古禮，君臣俱闇，故謂幽國。「幽」亦「囚」也。「荀子．王霸」：「公侯失禮則幽。」亦通「黝」，指黑色。「幽州」是古十二州之一，漢時包括遼寧、河北一部分，山東登萊半島及朝鮮等地。

## ◆今意

幽仍指光線微弱、昏闇不明之景象，適合情人約會，故稱「幽會」。引申為風景清新美勝，安靜脫俗為「幽雅」，亦用於房間的裝潢、擺飾等。「幽蘭」原指生於深谷的蘭花，後人以之為蘭花的別名。「幽默」為楚辭「孔靜幽默」句，指深靜不露，今者多用於英文humor的譯音，義為言語風趣而又帶諷刺意味。「幽門」是醫學為名詞，指胃與小腸相連之處。「唐．韋應物」：「空山松子落，幽人應未眠。」「幽人」是指避世隱居之人。「幽情」指深情。「幽懷」則指滿腹幽怨的情懷。「元．元遺山、臨江仙」：「幽懷誰共語，遠目送歸鴻」、「幽人」、幽懷今已少用！幽情則仍常用之！

行楷

甲骨文

金文

小篆

行書

甲骨文：外形像一間房屋，表形，屋裡有一支箭插在地上，箭下的一橫表示地面，是「至」、「到」之義，「至」表聲，是個會意兼形聲字。

金文：與甲骨文形義均同。

小篆：與金文形體相似，是小篆的筆法。

室：楷書：由小篆字形演變而來，與古義相同。

室之簡化字與繁體字相同。

## ◆古義

《說文》：「室·實也，從　從至，至所止也。」「實」者，人物財貨充滿其中之謂。「孔穎達」曰：「宮室通名，因其四面穹隆曰宮，因其財物充實曰室，室之言實也。」「爾雅·釋宮」：「宮謂之室、室謂之宮。」宮是古代對房屋、居室的通稱，秦漢以後則專指帝王之宮，「室」指「內室」，古之房屋，前面稱「堂」，堂後之中央稱「室」，室之東西兩側稱房。故通言之，「宮」與「室」沒有區別，但析言之，「宮」指所有圍牆圍著的房屋，「室」則指其中一間居室。故知「室」之本義為「房屋」。亦引申為「墳墓」、「詩經·唐風·葛生」：「百歲之後，歸於其室。」百年後（死亡的委婉語），歸葬於他的墓室。鳥巢亦曰室。「詩經·豳風·鴟鴞」：「既取我子，無毀我室。」貓頭鷹啊！你已抓走我的小孩，別再毀我的家！亦引申為「妻室」、「禮記·曲禮上」：「三十曰壯，有室。」三十歲稱「壯」，已經結婚，有了家室。妻亦稱「正室」。

## ◆今意

古之「宮」、「室」，就廣義言，一義二名也，今之「宮」，除宗教的建築外，只剩保護的古蹟，「室」則多指房屋內的房間，如「寢室」、「會議室」、「闢室密談」等，同住一個房間的同學或朋友稱「室友」、「滿室書香」勝過「滿室花香」。「室如懸罄」是指家徒四壁，空空如也，恐怕連本書都沒有。「室怒市色」是在家裡生氣，卻到大街上發脾氣，遷怒他人，孔子讚美顏淵：「不遷怒、不二過。」太多人犯這毛病，要檢討改進啊！女子未出嫁稱「在室」女，男子未結婚稱「在室男」。現在社會文明進步，不論居家或在外，「室內」不准抽煙，煙價亦愈漲愈貴，癮君子們得考慮戒煙啦！

行楷

甲骨文

金文

小篆

行書

甲骨文：上半部為繩索的形狀，下半部是一隻腳趾朝下的腳形，腳上繫有繩索，行動遲緩，
　　必居於後，是個會意字。

金文：在左邊增加了「彳」旁，表示行走，「彳」亦表聲，此時變成形聲字。

小篆：由金文字形演變而來，是小篆的筆法。

後：楷書：由小篆字形演變而來，是楷書的筆法。

后：簡化字：古時「后」與「後」通，故以「后」代替「後」簡化之。

## ◆古義

「後」是前的對義字。《說文》：「後，遲也、從彳幺夊者，後也。」「彳（音赤）」是小步走路，「幺（音邀）」指小，「夊（音雖）」是走路遲緩的樣子。若此，必遲也，必居於後也。故知「後」之本義為「走在後面」。有「後」就有「前」，兩者對稱。「詩經·小雅·正月」：「不自我先，不自我後。」災難總是發生在我身上，為何不發生在我生之前，或我死之後。就時間而古，「後」與「先」對稱，就地形、地位而言，「後」與「前」對稱。「論語·衛靈公」：「事君敬其事而後其食。」是奉事君上要先盡責，把俸祿擺在後面。「詩經·大雅·緜」：「予曰有疏附，予曰有先後。」「予」是文王自稱，「疏附」指親疏之臣，我有親疏的大臣，我有前後輔佐的大臣。「子嗣」、「子孫」曰後，「左傳·恒公二年」：「臧孫達其有後於魯乎！」臧孫達（即魯國大夫臧哀伯）必有後代在魯國長享爵祿吧！

## ◆今意

「後」之本義至今未變，且多用於形容詞的「先後」、「前後」及名詞的「後嗣」，亦用於姓。「後」字非常普遍，且經常使用，人人會用，如等車、購物、要守「先來後到」的排隊規矩。一旦權利在手，千萬別任性「先斬後奏」，居上位者，要有「先天下之憂而憂，後天下之樂而樂的風骨與胸襟。做人千萬不要「前倨後恭」，要懂得尊敬別人。上次當學次乖，所謂前事不忘，後事之師，一定要牢記在心。人生是不斷創新的累積，如能達到「前無古人，後無來者」之目標，可堪慰此生！我不喜歡吟「唐·杜牧·泊奏淮」：「商女不知亡國恨，隔江猶唱後庭花。」「宋·范仲淹·書扇示門人」寫得好：「一派青山景色幽，前人田地後人收，後人收得休歡喜，還有收人在後頭。」

行楷

金文

小篆

行書

金文：上面兩個木，指樹林，林中有一「冂」形，可以擋風遮雨之處，下部爲「至」，是指人在此處止息，是個會意字。

小篆：上部是個「尸」，是象屋之形，屋內人至（止）也。

屋：楷書：由小篆字形轉換而來，仍保有古義。

屋之簡化字與繁體字相同。

## ◆古義

《說文》：「屋、居也、從尸、象屋形、從至，所至止也。」「玉篇」：「屋、居也、舍也。」「詩經・召南・行露」：「誰謂雀無角？何以穿我屋？」誰說麻雀沒有角？怎麼能弄穿我住的屋子：「詩經・秦風・小戎」：「在其板屋，亂我心曲。」中原以西之民族稱西戎，以板為屋，他遠在西戎的木板屋內，想念他使我心亂如麻。故知「屋」之本義為「房屋」。「夏屋」是指大屋，「詩經・秦風・權輿」：「夏屋渠渠，今也每食無餘。」「渠渠」是高大，從前住的是高大房屋，如今卻每頓飯菜都無剩餘。引申為凡覆蓋之具皆曰屋，「禮記・雜記」：「緇布裳帷，素錦以為屋而行。」諸侯柩車四周應圍黑布，遺體上以帷幄為屋向前行進。「高屋建瓴」語出「史記・高祖本紀」：其義為將瓶水自高屋頂端向下傾倒，居高臨下，勢不可擋也。「愛屋及烏」語出「尚書・大傳・大戰」，推己之愛屋心及於屋簷鳥雀，愛其人而及於其有關之一切人與物也！

## ◆今意

現在通常說「房屋」，有「家」的意思，「屋」是家中的「一間屋子」，「居有屋」指有棲身之處，一間小屋即願足也！兒時常聆師訓：「書中自有黃金屋，書中自有顏如玉。」今觀高收入者，多半來自高學歷。看小說常見：「屋漏偏逢連夜雨，船遲又遇打頭風。形容運勢不佳，處於逆境，但當勇敢奮起，越挫越勇。常聽說：「人在屋簷下，怎能不低頭。」此環境之所限，情勢之所逼也，但應砥礪節操，俟機而起，必有出頭之日！主管常責備部屬「疊牀架屋」，是指重複做了毫無義意的事，多此一舉，現在都市盡皆高樓大廈，綠地稀少，於是大廈頂樓的「屋頂花園」是住戶賞心

行楷

甲骨文

金文

小篆

行書

甲骨文：外形像一塊方形的土地，中間均分四個菜畦，畦上種有農作物，是個象形字。

金文：外形變成不規則的方形、表形，裡面是個「有」，表聲，此時變成形聲字。

小篆：與金文形義相同。

囿：楷書：由小篆字形轉換而來，仍有古義。

囿之簡化字與繁體字相同。

## ◆古義

「囿」之本義原指「菜園」、「種植農作物之園地」。金文之後，農作物變「有」成了形聲字，其義漸廣。《說文》：「囿，從囗，有聲，苑有垣也，一曰禽獸有囿。」「苑」是有圍牆的園地。「初學記」：「有藩曰園，有牆曰囿。」古代帝王畜養禽獸之園林曰囿。「詩經・大雅・靈臺」：「王在靈囿，麀鹿攸伏。」「麀（音幽）」指母鹿，「攸」是語助詞，文王在園林遊賞，母鹿和公鹿在地上悠然躺臥。「文選・司馬相如，上林賦」：「游于六藝之囿。」「囿」指人羣聚集之處。引申為畫分區域曰「囿」。「通鑑外紀」：「人皇氏依山三土地之勢，財度為九州，謂之九囿。」因「囿」有圍牆，範圍受到限制，故見識不廣亦稱「囿」，如「拘虛」，猶言拘墟也！

## ◆今意

「苑」與「囿」均指有圍牆的園林，「上林苑」是古宮苑名，秦始皇建朝宮於苑中，阿房宮為其前殿，漢武帝時，周圍二百餘里放養禽獸，供帝狩獵。今已無帝制，更無畜養禽獸供帝守獵的園林。現在種菜的地方稱「菜園」「菜圃」、「菜田」，很少用「囿」來形容，其引申為「局限」、「狹窄」等義則常用之，如「囿於一隅」，「隅」指邊角的狹小地方，受限制或受困於邊角之地，常用於戰爭、拳賽、下棋等。對於只知墨守成規，不知求新求變或對人對事固持己見，且根深柢固無法改變者稱「囿於成見」。這種個性簡直無法溝通，只能徒呼負負！

行楷

金文

小篆

行書

金文：上面是一把像「戉（音物）」的大斧，斧下是一個女人的形象，女子在大斧之下，感覺受到嚴重震懾，「戉」表聲，女表形，是個會意兼形聲字。

小篆：由金文演變而來，其義不變。

威：楷書：由小篆字形演變而來，仍有古義。

威之簡化字與繁體字相同。

## ◆古義

《說文》：「威，尊嚴也。」「尚書·洪範」：「惟辟作福，惟辟作威。」「作威」是以刑賞樹其威嚴，只有君主才能賞賜福祿，只有君主才有權刑賞以樹其威。亦「力」也，使人驚懼震懾之力也。「易經·大有」：「威如之吉，易而无備也。」「易」指平易，「無備」是不須防備戒懼，樹立威言可獲吉祥，平易近人，讓人無須戒懼而自然流露敬畏。「呂氏春秋·蕩兵」：「威也者，力也。」故知「威」之本義為「威嚴」、「威力」。「論語·學而」：「君子，不重則不威，學則不固。」「威」指「莊重」、「厚重」，君子如不莊重，就沒有威嚴，所學就不能堅固、實在。「爾雅·釋天」：「出為治兵，尚威武也。」出兵打仗，把年輕的士兵擺在前面，為的是崇尚威武。「爾雅·釋親」：「婦稱夫之母曰姑。姑在，則曰君姑。」君姑即威姑，《說文》：「姑，夫母也，威姑也。」「威」亦「震」也。「國策·齊策」：「聲威天下。」聲名威震天下之謂。

## ◆今意

語云：「老虎不發威，當其成病貓。」人之發威是指一展長才，絕非逞勇鬥狠，人亦不能向惡勢力底頭。「孟子·滕文公下」：「富貴不能淫，貧賤不能移，威武不能屈，此之謂大丈夫。」「淫」是蕩其心，「移」是變其節，「屈」是挫其志，若此，可稱大丈夫也，孟子告訴我們有金錢和權勢並不能稱大丈夫，德業隆盛者才能稱之。放眼古今，能有幾人？古人認為「鳳」有威儀，故稱「威鳳」，「麟」呈吉祥，故稱「祥麟」，兩者都稀有珍貴，只有在太平盛世才會出現，後人喻指「賢才難得」。現在想發財會去買張「威力彩」，如果中了大獎，變成億萬富翁，切記要捐公益、做功德、德業隆盛者才能稱大丈夫啊！

行楷

甲骨文

小篆

行書

甲骨文：左上方是個彎腰的人形，人下有一隻手，手已把人抓到，「及」也，表聲，右邊是有層次的「阜」，表義，是會意兼形聲的字。

小篆：甲骨文右邊的「阜」變成左邊的絲，「及」字變至絲的右邊，以絲表層次、等級。

級：楷書：由小篆字形轉換而來，仍有古義。

级：簡化字：「糸」採書法中行書筆法簡化之。

## ◆古義

甲骨文之本義是指一層一級的階次，「禮記‧曲禮」：「拾級聚足，連步以上。」經由階級而上升之義。引申為等級。「說文」：「級，絲次第也。」小篆時期，以絲分等級，故字形由「阜」變「絲」。「禮記‧月令」：「授車以級。」以等級授車，「玉篇」：「級，階級也。」凡事物之有等別、檔次者，皆可曰級。秦制以斬敵首一，賜爵一級，故稱斬首為「首級」。「史記‧秦始皇本紀」：「百姓內粟千石，拜爵一級。」「內」是「納」，百姓如能繳納千石糧食，即提一級。亦有「臺階」、「階梯」之義。「姚鼐‧登泰山記」：「道皆砌石為磴，其級七千有餘。」階梯步道都是石塊堆砌起來的，共有七千多級。

## ◆今意

「級」仍用於「階級」、「等級」，古之官場中，「階級」觀念較重，官架十足，今則提倡親民，姿態較低。古有「士、農、工、商」四民，等級明確，今之「士」為人民公僕，企業是國家經濟的支柱。「級」亦普通用於教育，學校各班級由同學推舉之「級長」、「班長」。學校指定教師對某年級學生負訓導、管理之責者，稱「級任教師」。對某年級擔任全部或多數學科之制度稱「級任制」。同級同學組織的集會稱「級會」。多年前曾遊台北木柵指南宮，在爬石階時，見一對聯：「且拾級直參紫府，乍回頭已隔紅塵。」站立階上，回望塵世，頓然慾淨念清，渾然忘

行楷

金文

小篆

行書

金文：中間的上半部是白繒，因絲繒質輭易垂，故有下垂之形，中間下部為絲縷，左右為手形，雙手執繒，是個會意字。

小篆：由金文演變而來，省略雙手之形，中間是白色的絲織品。

素：楷書：由小篆字形演變而來，已不見下垂之絲形。

素之簡化字與繁體字相同。

## ◆古義

《說文》：「素，白緻繒也。」緻者，密也；「繒」是絲織品的總稱。「禮記・雜記」：「純以素。」素即生帛，「說文通訓定聲」：「生帛曰素，陳帛曰練。」帛亦繒也，縑素之通稱，縑素是指色白細密的絹，可供書畫使用，故知「素」之本義為無色細緻的絲織品。因其無色而純，故曰白。「詩經・鄘風・干旄」：「素絲組之，良馬五之。」白絲編織成韁繩，五匹駿馬當作聘禮。「詩經・魏風・伐檀」：「彼君子兮，不素餐兮。」「素餐」即今之「白吃」，那些君子們，他們不會不工作而白吃的。「漢書・朱雲傳」：「今朝廷大臣，上不能匡主，下亡以益民，皆尸位素餐。」「尸位」是佔著官位不辦事，「素餐」指空食俸祿。「素」為「原色」、「本色」，故有「原本」之義，引申為「初始」、「故昔」等義。亦通「愫」，真情也，如「情愫」。

## ◆今意

「素」至今仍指原本之色，純而白，沒有花紋及顏色，如「素衣」、「素服」指素色樸實不華麗的衣服，亦用於喪服。不施脂粉謂「素顏」、「素面」。喜歡化粧的人常說：「化粧是種禮貌。」反之則曰：「樸素就是美。」「素來」見解不一。稱老朋友為「素交」、稱認識已久的為「素識」。現代人注重養生，多茹素而不吃葷，古語有：「寧可葷口念佛，且莫素口罵人。」古人義謂吃齋唸佛說話更應慎重，今人不論葷素，都應注意！「我行我素」語出，「禮記・中庸」，義指不以環境為轉移，不受他人影響而作變更，一意自行其是者，直至今日，此類孤行者仍常見之！

行楷

甲骨文

金文

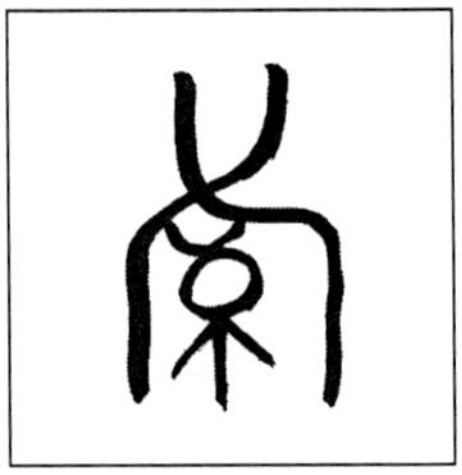

小篆

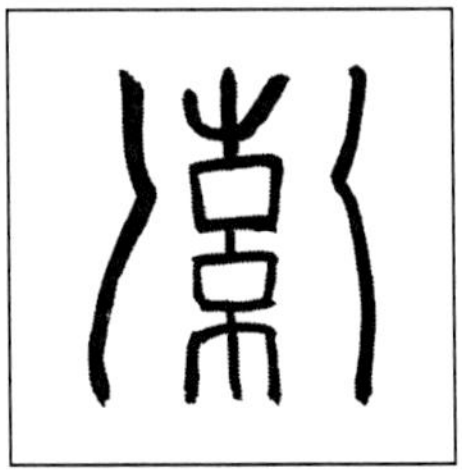

行書

甲骨文：中間是一條繩子，頂上有三股分開的繩頭，右左下方是手形，雙手將三股繩線搓在一起，是個象形字。

金文：甲骨文演變而來，兩手變成交叉之形，義指將繩交叉揉搓在一起。

小篆：中間的繩子上下都有三股繩頭，其義更明，左右仍為手形。

索：楷書：上半部由三股繩頭演變而來，下部繩線變「糸」。

索之簡化字與繁體字相同。

## ◆古義

《說文》：「索，草有莖葉可作繩索。」繩與索皆由有莖之草編織而成。「小爾雅・廣器」；「大者謂之索，小者謂之繩。」「索」指粗繩，大繩。「急就篇，顏注」：「繩，謂紨兩股以上，總而合之者也；索謂切然之令緊者也，麻絲曰繩，草謂之索。」故知「索」之本義為「大繩」。「詩經・豳風・七月」：「晝爾于茅，宵爾索綯。」爾即而，「索」是動詞，指搓絞，「綯（音陶）」者，繩也，白天割茅草，晚上搓絞繩索，故「索」亦有「絞」義。

獨居曰「索居」，「禮記・檀弓」：「吾離羣而索居。」「陸游・釵頭鳳」：「一懷悉緒，幾年離索。」亦引申為「搜」、「求」義，「漢書・杜林傳」：「吹毛索疵。」另「按圖索驥」亦「按圖索駿」。「索索」是懼也，內心不安之貌。「索」亦盡也、罄也。

## ◆今意

「繩」與「索」今常連用稱「繩索」，絲織的稱繩，麻草搓絞的可曰繩，亦可謂「索」，至今並無定稱。以鐵或鋼製成的繩稱「鐵索」、「鋼索」。架設於山間或坡地，使纜車通之道稱「索道」。故今之草繩、麻繩等之功用已不大。若登冰山、攀高岩仍用麻繩，則危險至極也！書籍篇首常標明目錄、分類等重點，以便讀者「索閱」稱「索引」。「索性」是指不拐彎抹角，直截了當之義，「索然」是寂寞或無趣的樣子。我們常用「索然無味」形容對某人某事一點趣味都沒有，反之，有興趣的就「津津有味」啦！人不要「需索無度」，恬淡自在，甘在其中也！

行楷

甲骨文

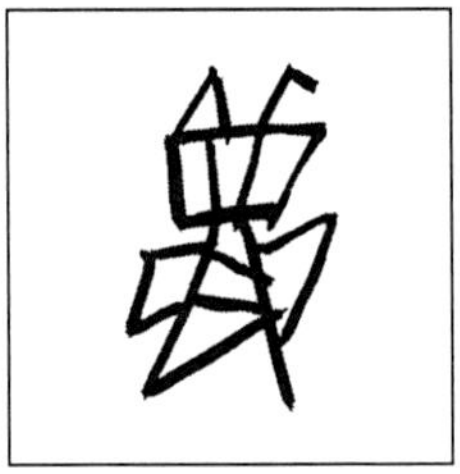

金文

小篆

行書

甲骨文：像一個正面站立的人形，上部是「頭」，頭上有裝飾，頭部以下是身軀，左右兩邊是手，手中有斧鉞之兵器，是個會意字。

金文：上部變成了「頁」字，即頭也，頭下有手形，下部為腳趾形。

小篆：由金文演變而來，頭、手、趾均極明顯。

夏：楷書：由小篆字形演變而來，已不見雙手。

夏之簡化字與繁體字相同。

## ◆古義

《說文》：「夏，中國主人也。」我國古代文化發源及建都均在黃河流域，四面皆蠻夷戎狄，因國土居中，故稱「中國」，因具知識與文化，亦稱「中華」，「左傳‧定公‧十年」：「裔不謀夏，夷不亂華。」「裔」是「夏」以外的地，「夷」指「華」以外的人，「夏」亦指「大」，「華」亦指「美」，中國有禮儀之大，故稱「夏」，有服章之美，故謂「華」。故知「夏」之本義是指「中國人」。大屋亦曰「夏屋」。「詩經‧秦風‧權輿」：「於，我乎！夏屋渠渠。」「於」是嘆詞，「渠渠」是高大，唉，我啊！從前住的是高樓大廈。「夏」亦朝代名，禹受舜禪讓而有天下，國號「夏」，亦稱「夏后氏」。「夏（音假）楚」是古時鞭笞之刑具。「禮記‧學記」：「夏楚二物，收其威也。」用荼條及荊條鞭策學生，以整肅威儀。「夏至」是二十四節氣之一，每年陽曆六月二十一日或二十二日太陽經過夏至點稱之。

## ◆今意

今之學校已禁止體罰學生，「夏楚」已成歷史名詞，「夏屋」也改稱「大廈」或「豪宅」，「夏布」是麻織衣物，宜夏穿著，今則多以麻紗混紡，更加涼快，現在「夏」多用於四季之一，「春耕、夏耘、秋收、冬藏」是農人的工作時序。夏天是萬物生長的重要季節，「夏雨」的滋潤至為重要。「管仲」曰：「吾不能以春風風人，夏雨雨人，吾窮必矣！」義指高居上位者，如不能澤被萬民，終致頹敗，今之上位者宜明辨慎行也！做事不合時宜或不切實際稱「夏爐冬扇」，會適得其反，「夏蟲不可以語冰」是指夏蟲入秋即亡，因時間限制沒見過冰，但別亂用，遭人白眼！

行楷

甲骨文

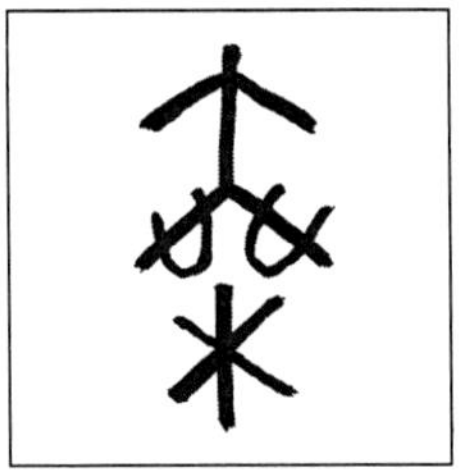

金文

小篆

行書

甲骨文：上部是一個正面站立的人形，下部是一顆大樹，人站在大樹頂端，表示登上之義，是個會意字。

金文：由甲骨文演變而來，人的雙腳加了腳趾，表示用腳登上頂端。

小篆：與金文相似，其義亦同。

乘：楷書：由小篆演變而來，兩雙腳趾變成「北」字，已無古義。

乘之簡化字與繁體字相同。

## ◆古義

「廣韻」：「乘．登也．駕也。」「詩經．衛風．氓」：「乘彼垝垣，以望復關。」「垝垣」是毀壞的土牆，「復關」指情郎所居之處，登上那毀壞的土牆牆頭，遠望你住的地方。「易經．乾卦」：「時乘六龍以御天。」「六龍」是乾卦六爻皆有龍象。有如陽剛之氣乘著神龍，駕馭著大自然。故知「乘」之本義為「登」也，「駕也」。引申為「因」也。「孟子．公孫丑上」：「雖有智慧，不如乘勢；雖有鎡基，不如待時。」「鎡（音資）基」是耕田的器具，雖然有智慧，不如因勢而為，雖然有耕具，不如等耕時。亦引申為「升也」、「治也」、「詩經．豳風．七月」：「亟其乘屋，其始播百穀。」急忙以茅草修治屋頂，不久將要播種百穀了。另一車四馬謂之「乘（音剩）」，「詩經．小雅．六月」：「元戎十乘，以先啟行。」大型戰車十輛，在前開道。

## ◆今意

今「乘（音剩）」已不用於車輛或表「四」的數字，僅用於佛教中的「大、中、小乘。」「乘（音成）」今多用於「搭」、「坐」，如「搭乘車、船、飛機等的乘客」，孔老夫子的「道不行，乘桴浮於海。」亦多用於「因應」、「趁勢」，如「乘間而為」、「乘人之危」、「乘虛而入」，以及晉時王徽之雪夜訪戴逵的名句：「乘興而來，興盡而返。」南朝宋宗慤少時立志「願乘長風破萬里浪。」後人以此句喻為志向遠大。「乘」當數學用時，就會想起兒時背誦的「九九乘法表」，一旦熟記，終身受用。「乘龍快婿」是指得到一位好女婿，有如女兒乘龍而去。現在平民百姓最討厭為政者「乘權藉勢」，以所掌握之權勢為非作歹，徇私舞弊，以享私慾，為人所不齒也！

行楷

甲骨文

金文

小篆

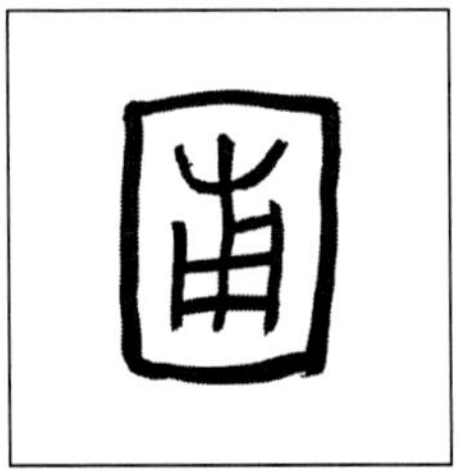

行書

甲骨文：下方是個「田」，上方是從田裡長出的新苗，是「甫」字的初文，剛剛開始之義，
是個象形字。

金文：在甲骨文的形體外加了一個外框，表示範圍，更像一個菜園。

小篆：菜園變成「甫」，表聲，外面的框形「囗」表形，此時變成形聲字。

圃：楷書：由小篆字形轉換而來，仍有菜園古義。

圃之簡化字與繁體字相同。

## ◆古義

「甫」是「圃」的初文，義指新苗剛自田中長出，金文之後加框為「圃」，兩字自此分義分開。《說文》：「種菜曰圃。」種菜之地，菜園也，亦有「種菜曰圃，種樹果曰園。」之說。「左傳•哀公•十五年」：「良夫與大子入，舍於孔氏之外圃。」渾良夫和太子進入國都，住宿在孔氏家外面的菜園裡。「周禮•天官•大宰」：「園圃毓草本。」「毓」即育也，園圃是培育草木的地方。故知「圃」之本義為「菜園」。「論語•子路」：「吾不如老圃。」樊遲向孔子請教種植蔬菜瓜果之事，孔子說：我不如老菜農，「圃」指「園藝」之事，亦引申為「場所」，「唐•孟浩然，過故人莊」：「開軒面場圃，把酒話桑麻。」推開窗戶，便看見種植蔬菜瓜果的場地，邊飲酒邊談著故鄉的事。

## ◆今意

「圃」之本義至今未變，且包含更廣，凡種植花、木、瓜、果」蔬菜等地均稱「圃」，以此為生、為業者稱「老圃」，現在習慣稱「老農」、「農夫」、「農友」等，古人所說的「圃事」，現在則稱「農事」，古人對種植蔬果藝有專精之人稱「圃師」，「劉楨•瓜賦」：「乃命圃師，貢其最良。」現在則稱「專家」。將種菜的園地一塊一塊的作區分，古稱「圃畦」，今稱「菜畦」，故「圃」是較文言的用法，今口語化多稱「園」。「甫」是「圃」的初文，但「甫」有二音：一、用於剛剛，開始的「甫（音斧）畢」、「甫（音斧）始」。二、用於地名的「甫（普）田」。「圃」只有一音讀（普）。

行楷

金文

小篆

行書

金文：左邊的六個小點是米粒，中間的一橫表示堆積的數量很多，右邊是一個舀米的斗具，

有「口」形及「長柄」，是個會意字。

小篆：左邊的「米」已字形化了，右邊已不像斗具。

料：楷書：由小篆字形演變而來，斗具已字形化了。

料之簡化字與繁體字相同。

## ◆古義

《說文》：「料，量也。」「量」是用以稱輕重、計多少、度長短。「段玉裁注」：「稱其輕重曰量，稱其多少曰料。」即重量與數量，「玉篇」：「料，數也，理也。」「史記・李斯傳」：「君侯自料，能孰與蒙恬。」自己掂掂分量，與蒙恬相較如何？故知「料」之本義為「量」、「量米」、「量布」等。引申為「捋（音勒）」，取也、摩也。「莊子・盜跖」：「疾走料虎頭，編虎須，幾不免虎口哉！」「須」同「鬚」，急忙莽撞地去觸虎頭，捋虎鬚，差點被虎吃掉，亦引申為「官俸」，俸祿之謂，「唐書・食貨志」：「乾元元年，給外官米料。」「半料」指一半的俸祿。供牲畜所食之芻豆亦曰料，後泛指牲畜所食如草料等，均稱之為「料」。亦引申為凡物品之供應者皆曰料，如原料、木料、燃料、衣料等。「料」亦古樂器之一，是長柄搖鼓，「爾雅・釋樂」：「大鼗謂之麻，小者謂之料。」古時用玻璃材質製造假的珠玉、寶石等稱「料貨」。

## ◆今意

「料」當名詞用時，是指供給製造的物質，如工業用的「原料」、「物料」，農業用的「肥料」，工程用的材料、下腳料，飲食用的「佐料」、「醬料」、「醮料」，家畜吃的「草料」等。亦常用於動詞的「料理」事物、烹飪，或猜度、料想。「蘇軾・江城子」：「料得年年斷腸處，明月夜，短松岡。」「宋、辛棄疾、賀新郎」：「料不啼清淚長啼血，誰共我，醉明月?～」都是料想得到的淒苦和無奈！現在肚裡沒貨或沒能耐，常被人稱「沒料」，古之「料貨」是誠實告知或販售的，今之贗品充斥，假貨一堆，還吹得天花亂墜，就等您上當，千萬要注意！

行楷

金文

小篆

行書

金文：中間是個彎曲的人形，頭上是草叢，下方身旁兩小點亦表草叢，外面是個「匸（音喜）」，遮蓋挾藏之物，人躲入草叢，用物遮蔽，藏匿也，是個會意字兼形聲字。

小篆：草叢簡化為草頭，人形用手、口表之，外形仍為「匸」字，其義不變。

匿：楷書：由小篆字形演變而來，隱約仍有古義。

匿之簡化字與繁體字相同。

## ◆古義

《說文》：「匿，亡也。从匸，若聲。」隱匿、隱藏、竄匿也。「爾雅・釋詁」：「匿，微也。」微者，隱行也，隱藏不見也。「廣韻」：「匿，藏也、亡也、隱也。」「史記・留侯世家」：「良更名姓，亡匿下邳。」張良狙擊秦始皇於博浪沙，誤中副車，乃改名換姓，逃亡藏匿於江蘇下邳。故知「匿」之本義為「隱藏」。引申為「隱瞞」。「三國志・魏志・司馬朗傳」：「監試者以其身體壯大，疑朗匿年。」監考官懷疑司馬朗不止十二歲，有隱瞞年齡之嫌。亦引申為「陰姦」，姦亦奸也，兩者通用，陰險奸詐之謂，如同「側匿」，側為不正之為，「論語・公冶長」：「匿怨而友其人。」心裡藏著怨恨，表面上仍與之友好，表裏不一也，謂之匿怨。「消聲匿跡」是指遁隱不問世事，或失去踪影，杳無音訊。

## ◆今意

「匿」指「隱藏」、「藏匿」之古義至今未變。隱姓埋名，消聲匿跡者，古有忠貞愛國的張良，因報國仇失敗而四處藏匿。今者，多半做了不名譽的事而改名換姓，匿跡無踪。古之「匿名書」今稱「匿名信」，既敢書信，又懼留真實姓名，無担當者也！多係以攻訐他人、毀謗名聲等為主，或信函四寄、或揭帖散發，這種「匿名揭帖」實非光明磊落之舉！而今合法又為大眾所接受的是「匿名投票」，不公開表示自己支持的提案或人選，以不具名方式投票表之，較諸損人利己的「匿名信」實有天壤之別！

行楷

金文

小篆

行書

金文：上端是「厂（音喊）」，山石之崖巖，因可為屋，故亦如屋簷，屋簷下掛著一縷縷晾曬的纖麻，是個會意字。

小篆：「厂」變成「广（音眼）」，因「厂」為屋可住人後，即稱「广」，簷下之縷未變。

麻：楷書：由小篆字形轉換而來，兩縷纖麻變成兩個木字，但非其始義，故已看不出晾曬古義。

麻之簡化字與繁體字相同。

## ◆古義

「玉篇」：「麻，枲屬也，皮績為布，子可食。」「枲（音喜）」即麻也，「麻」一名「枲」，兩者通名也。其皮可紡績為布，其子可食。「爾雅・釋草」：「黂，枲實。枲，麻也。」「黂（音汾）」，麻之有實者，即「麻籽」，「枲」即大麻。「禮記・內則」：「女子執麻枲學女事，以共衣服。」故知「麻」之本義為可織布成衣之枲屬植物。「麻」亦為五穀之一。「黃帝素問」：「麻、麥、稷、黍、豆為五穀。」「詩經・豳風・七月」：「黍稷重穋，禾麻菽麥。」「穋（音路）」是晚種而早熟之穀，十月秋收有黎稷穀物，還有小米麻籽及豆麥。「胡麻」俗稱芝麻，又名「巨勝」，因其大而勝也，用於飲食及搾油。「升麻」、「天麻」皆為中藥材。「麻」亦樂器的一種。「爾雅・釋樂」：「大鼗謂之麻，小者謂之料。」「鼗（音挑）」指大的長柄搖鼓，俗稱撥浪鼓，「料」指小的長柄搖鼓。

## ◆今意

「麻」是一年生的穀類植物，至今仍用於織布、製繩等，其種子用以搾油，俗稱「胡麻油」、「芝麻油」等。「蔴」是「麻」的俗字，有些人加草頭為「蔴油」、「芝蔴油」，如同水果寫成「水菓」，實無必要也。「麻將」是骨牌戲的一種，小遣怡情，大賭敗身。因天花處理不慎，臉上會留下痘瘢，因瘢點如芝麻點，俗稱「麻子」現醫學發達，有疫苗可種，麻臉已少見了。「心亂如麻」是指心中如績麻之縷，紊亂難理，「麻木不仁」則指手腳麻痹無知覺，有些人以訛傳，用於心之麻痹，對人或事無動於衷即批之曰「麻木不仁」，非也！不宜也！

行楷

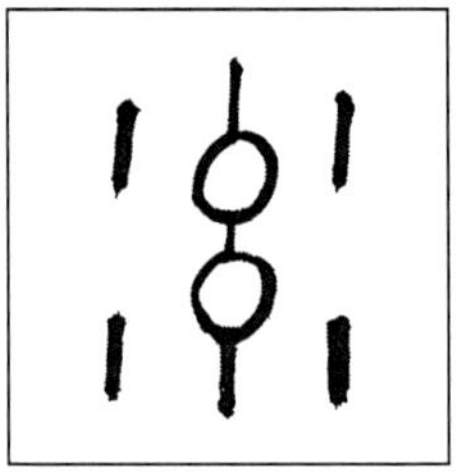
甲骨文

金文

小篆

行書

甲骨文：中間兩個圓形是捕鳥的網，上下為握柄，左右兩旁有四個小點，像是鳥在網中掙扎掉落的羽毛，是個象形字。

金文：上部的網柄放到下面，變成短橫，鳥的羽毛仍在網邊。

小篆：由金文演變而來，頂上又加了一個握柄。

率：楷書：由小篆字形演變而來，已無捕鳥之形。

率之簡化字與繁體字相同。

## ◆古義

《說文》：「率，捕鳥畢也，像絲網，上下其竿柄也。」捕到鳥了，鳥兒在網中掙扎，羽毛散落。「文選・張衡・東京賦」：「悉率百禽」。「禽」是鳥類的總稱，用網捕捉各種鳥類。故知「率」之本義為「捕捉」。「玉篇」：「率」，遵也、循也。「詩經・大雅・緜」：「率西水滸，至於岐下。」水滸指漆水，源出陝西大神山，西南流會沮水，入於渭水，循沿漆水西岸，到遠岐山之下。引申為「將」也、「領」也、「率領」之義，「左傳・宣公十二年」：「率師以來，惟敵是求。」率領軍隊前來，只為了尋找敵人的蹤跡。既是「率領」，必為「將帥」，古「率」與「帥」同，「荀子・富國」：「將率不能則兵弱。」亦引申為「輕率」：「論語・先進」：「子路率爾而對。」子路輕率的回答。「率土」是指境內所有的土地。「詩經・小雅・北上」：「溥天之下，莫非王土；率土之濱，莫非王臣。」

## ◆今意

今之捕鳥已不用率，捕捉之本義已失，其引申之義則續用至今，但「將帥」已不用「將率」。子路率爾，今人或更率性，常用日本譯音「阿沙力」表示自己不矯飾做作，任性為之，大家高興就好，率性固然好，但求不踰矩。遇事多斟酌，「率然」或「率意」行事都極危險。完全依照原有的法令規章辦事，不另加更改稱「率由舊章」，與「蕭規曹隨」同義。不加思索，輕率執筆為文稱「率爾操觚」。「率」讀音為（律）時，是指可作為法的標準，不變的「定率」，今則多用於兩數相較的「比率」，計算稅額百分比的「稅率」，投資回收的「報酬率」等。

行楷

甲骨文

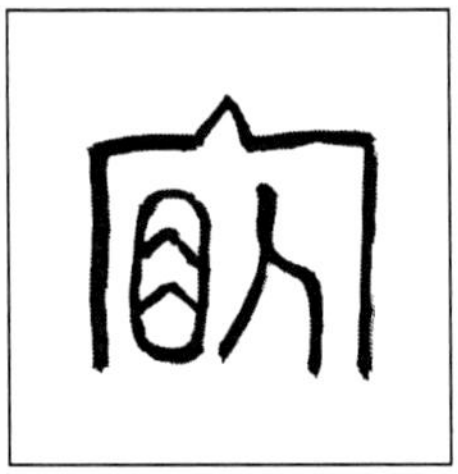

金文

小篆

行書

甲骨文：外形像個房屋，屋內右邊是張草席，左邊是個躺在草席上的人形，人在屋內躺下休息，住宿也，是個會意字。

金文：由甲骨文演變而來，人與草席換了位置，亦較簡單化，其義不變。

小篆：人與草席又換回原樣，「席」則變成「百」字。

宿：楷書：由小篆字形轉換而來，已無人躺席上之古義。

宿之簡化字與繁體字相同。

◆古義

《說文》：「宿，止也。」可以停下來休息之處。「玉篇」：「宿，夜止也，住也。」晚上停下來休息住宿。「詩經・周頌・有客」：「有客宿宿，有客信信。」住一夜曰「宿」，「宿宿」連用指兩夜，住兩夜曰「信」，「信信」連用指兩夜以上，客人請住兩夜啊，客人請多住幾夜啊！故知「宿」之本義為「住宿」。由「住宿」引申為「夜」，「論語・顏淵」：「子路無宿諾。」子路一旦諾，必立即實踐，絕不隔夜留待次日行。亦引申為「安」。「左傳・昭公・二十九年」：「官宿其業，其物乃至。」官吏要能安心的從事他們的事業，龍這樣的靈物才會來到。亦引申為「舊」，如「宿將」、「宿怨」、「宿債」、「宿疾」、「宿痾」等。年高德劭的長者稱「耆宿」，前世的因緣稱「宿緣」。「宿」有三種唸法：一、音（素）：如「食宿」、「宿舍」等。二、音（秀）：空中的列星稱「星宿」。三、音（朽）：如「一宿未眠」。

◆今意

「宿」之本義至今未變，每個人都有「住宿」的經驗，讀書或就業，學校及雇主都會提供學生或員工居住的「宿舍」。出外旅遊，一定會投宿賓館、旅店或借宿朋友家中。姻緣是前世註定的，好的姻緣被讚美為前世的「宿緣」，天天吵架的多怨為前世的孽緣。在羣體社會中，人與人相處，總有磨擦與不合，雖說道不同不相為謀，但千萬別結怨，有怨即解，別成「宿怨」。「宿醉」是昨夜的酒至今未醒，所以千萬別開車，「宿構」是下筆如神，好像昨夜先擬好的。還是「周邦彥・蘇幕遮」：「葉上初陽乾宿雨，水面清圓，一一風荷舉。」比較詩情畫意！

行楷

甲骨文

金文

小篆

行書

甲骨文：上半部像一個茶几形狀的小桌臺，桌旁有一隻腳趾，表示有一個人暫止此處，倚几休息，是個會意字。

金文：左邊變成人形，右邊仍是一個几桌形，桌上一橫表示放置之器皿等。

小篆：右邊又變成腳趾形，左邊仍為几桌。

處：楷書：採隸書寫法，在小篆上加「虍」（虎字頭）而成。

处：簡化字：「处」原是「處」的簡體字，今用為簡化字。

## ◆古義

「處」：說文作「処」，以「処」為「處」之本體，小篆時，有加「虍」為「處」之變體，隸書以後則用「處」為正體，原始之「処」反成「處」之簡體字。「玉篇」：「處，居也、止也。」「易經•繫辭下傳」：「上右穴居而野處，後世聖人易之以宮室。」遠古之時，人類居住在洞穴和野地裡，後代聖人用房屋改變了居住的方式。「詩經•召南•殷其靁」：「何斯違斯，莫或遑處？」你為何要離家遠去，不肯多作停留？「詩經•大雅•公劉」：「京師之野，于時處處。」京邑的原野上，於是有人居住。故知處之本義為「居住」。引申為「歸處」、「左傳•襄公四年」：「民有寢廟，獸有茂草，各有攸處。」夏禹使百姓有居處及祭廟，野獸有茂盛的草食，人獸各有歸處。亦引申為「處置」、「決斷」、「漢書•谷永傳」：「臣愚不能處也。」「處（音黜）」指「處所」，如清時之「軍機處」，是官署的名稱。

## ◆今意

「處」為「居住」、「居處」之本義至今未變，「三字經」：「昔孟母•擇鄰處。」「唐•崔顥•長干行」：「君家住何處？妾住在橫塘。」都是指居住之處。古時未出嫁之女子稱「處女」，亦稱「處子」，今者，「處子」已少用，「處女」之定義亦稍有不同。「處決」古時是用在對人對事的處置與裁決及對死刑犯的行刑兩種意義，今則幾已專用於後者，前者則改以「處理」、「處置」與「決行」等。不守規矩或違反法律規定要給予「處分」、「處罰」。醫生給病人開的藥方稱「處方」，人與人之間的相處，如何應對人情世故稱「處世」。凡第一次的作為可以「處女」稱之，如「處女作」、「處女行」、「處女航」等。「唐。李白•春日醉起言志」：「處世若大夢，胡為勞其生。」那是醉言醉語，千萬別當真！

行楷

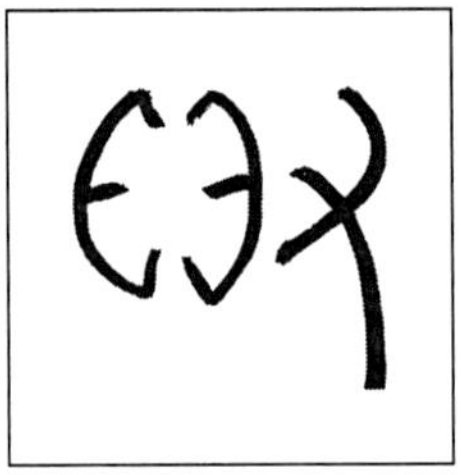

甲骨文

金文

小篆

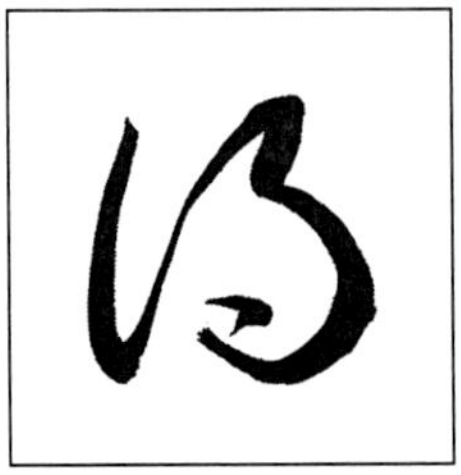

行書

甲骨文：左邊是張開口的貝殼，貝殼是古代的一種貨幣，極為珍貴，右邊是一隻手形，手取貨幣，表示「得到」，是個會意字。

金文：左邊多了一個「彳」，表示已用行動取得，中間的貝及右邊的手均與甲骨文同意。

小篆：由金文演變而來，字形筆法化了。

得：楷書：由小篆字形演變而來，已不見古義。

得之簡化字與繁體字相同。

## ◆古義

《說文》：「得，行有所得也。」行動之後而有所「取得」也。「玉篇」：「獲也。」凡有求而獲皆曰「得」。「禮記・曲禮」：「臨財毋苟得，臨難毋苟免。」「苟」指苟且，不能用不正當的方法去獲取財務，遇到危難，不能苟且的想要避開。「禮記・大學」：「安而後能慮，慮而後能得。」安定以後思慮才能周密，思慮縝密之後才能獲得成功。故知「得」之本義為「獲得」、「得到」。過分取得謂之貪。「論語・季氏」：「及其老也，血氣既衰，戒之在得。」到了老年，血氣已衰，應戒的是貪得無厭。「後漢書・岑彭傳」：「人苦不知足，即平隴，復望蜀。」義「貪」也。亦引申為「能」也，「得意」也，「莊子・外物」：「荃者所以在魚，得魚而忘荃；蹄者所以在兔，得兔而忘蹄。」「荃」是香草，用作捕魚之餌，「蹄」是捕兔用的網。「得」亦通「德」，「得我」即「德我」，施恩與人，人亦親悅，感恩也！

## ◆今意

「得」之本義至今未變，但其讀音有三種。一、「得（音德）」；如「得失」、「得意」、「得便」、「得罪」、「得寸進尺」、「得過且過」、「得饒人處且饒人」等。二、「得（音ㄉㄟˇ）」：表示「必須」、「應當」之義，如你得用功讀書，您得小心開車。三、得（音德的輕聲ㄉㄜ˙）」：作為副詞的介詞，或助動詞，如「投得準」、「打得好」、「跑得快」、「走得動」等。另「不得」是禁止詞，不能夠、不可以也，如「酒後不得開車」、「千萬使不得」、「余不得已也」等。今之「得」已不與「德」通而分義分用。人生在世，短短數十寒暑，如不努力，何所得也！「宋・蘇軾・東欄黎花」；「惆悵東攔一枝雪，人生看得幾清明？感嘆人生若短，吾人不如東坡遠矣，豈能不珍惜光陰，多讀幾本書，以期有「所得」」。

行楷

甲骨文

金文

小篆

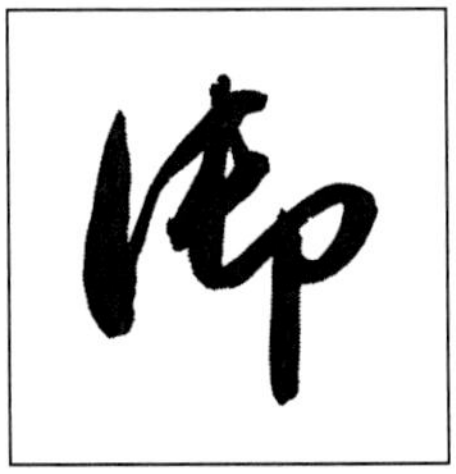
行書

甲骨文：左邊是個「彳」，表行動，中間是一條絞纏的繩子或鞭子，右邊是一個面朝左，拿著鞭子趕車驅車，是個會意字。

金文：由甲骨文演變而來，但中下方增加了腳趾的「止」，人有行動，車馬亦有行動。

小篆：由金文演變而來，「鞭」與「止」合而為一。

御：楷書：由小篆字形演變而來。已無執鞭驅趕之義。

御之簡化字與繁體字相同。

## ◆古義

《說文》：「御，使馬也。」「徐錯」曰：「卸解車馬，皆御者之職。」「禮記・曲禮」：「問大夫之子，長，曰：能御矣。幼，曰：未能御也。」問大夫兒子的年齡，若已長大，則回答說：已能駕馭車馬了；若還年幼，則答以：還不能駕馭車馬啊！故知「御」之本義為「駕馭車馬」。亦指駕車馬者，「詩經・小雅・車攻」：「悠悠斾旌，徒御不驚？」「徒」是步行的士卒，「御」指駕車者，「驚」即「警」也。旌旗悠悠飄揚，士卒與御者豈不警戒？引申為「進也」、「待也」。「詩經・小雅・六月」：「飲御諸友，炰鱉膾鯉。」「炰」是蒸煮，「膾」指切細的肉，給我諸好友進献美酒，有清蒸甲魚及切片的鯉魚。另天子所行之事皆稱「御」，如「御筆」、「御覽」、「御製」等。亦有「防禦、終止」之義。「御」讀音為「訝」時，是迎接之義。「詩經・周南・鵲「巢」：「之子于歸，百兩御之。」這姑娘出嫁，一百輛婚車來迎接。

## ◆今意

現在除了草原畜牧及馬術表演外，很少人能有機會御馬駕車，隨著交通工具不斷演進，馬車已漸走入歷史；行俠仗義，躍馬江湖的人物只有小說中才能看到。「御者」現稱駕駛員或師傅。古進奉於天子稱「御」，今已非帝制，不可稱「御」，清乾隆皇帝是最喜歡「御覽」前人書畫並大揮「御筆」題跋的帝王，此舉真乃前無古人，後無來者。「御」、「馭」、「禦」三字均有部分相同處，「御」指駕者，「馭」指動作，古時「御」亦指「防禦」，今則寫作「禦」，不宜混用！古有皇帝「御駕親征」以鼓舞士氣，誓必得勝！今者，未聞那國總統親赴前線，被甲上陣矣！今之「御」多用於「領導統御」，不論軍中或企業，舉凡上待下，帶人不帶心，其「御」必失！

行楷

甲骨文

金文

小篆

行書

甲骨文：上部的中間是鬼形的頭顱，（古鬼字的上半部），下部是站立的人形，左右是高舉的雙手，護住頭部，人與鬼的組合，非常奇特、怪異，是個象形字。

金文：與甲骨文形義相同。

小篆：由金文演變而來，雙手放在頭部下方。

異：楷書：由小篆字形演變而來，古義已失。

异：簡化字：「异」為「異」之簡體字，今亦用於簡化字。

## ◆古義

「釋名」：「異者。異於常也。」怪也，「左傳・昭公二十六年」：「非不能事君也，然據有異焉。」並非不能奉行君命，而是感到非常奇怪。「異」亦奇也，「史記・仲尼弟子傳」：「受業身通者，七十有七人，皆異能之士也。」「柳宗元・捕蛇者說」：永州之野產異蛇。」異者，奇特也。故知「異」之本義為「奇怪」、「奇特」。引申為「不同」，「禮記・儒行」：「同弗與異弗非也，其特立獨行有如此者。」贊同自己者，不與其結黨，有不同意見的，也不非難詆毀，此乃儒者獨特卓異之風格也。「詩經・大雅・板」：「我雖異事，及爾同僚。」我與你雖工作不同，但我與你仍是同事。亦引申為「分開」、「分離」。「禮記・曲禮」：「群居五人，則長者必異常。」一席只能坐四人，如有五人，則讓長者離開此席而另坐一席。不同之風俗稱「異俗」。「禮記・王制」：「廣谷大川異制，民生其間者異俗。」地域不同，生活必異。

## ◆今意

「異」是「同」的對義字，其本義至今未變。志趣與己不同者稱「異己」、「異趣」。性別不同稱「異性」，人在他鄉稱「異鄉」、「異客」，最敏感的是對見解不一致的人稱「異見」，甚或有敵意的稱「異說」、「異類」，若此，「求同存異」是否是最佳相處之道？一味「排除異己」、「黨同伐異」將永無寧日！我們常用的成語有「異口同聲」、「異曲同工」、「異筆突起」、「異想天開」、「異地重逢」等，比較少用的有「異苔同岑」，同一座山裡長著不同的青苔，比喻志同道合的朋友，「異言異服」指言語服裝與眾不同，有時用於貶意。出國留學離鄉背井，或移民海外定居他國，最常唸的傷感句子是：「唐・王維・九月九日憶山東兄弟」：「獨在異鄉為異客，每逢佳節倍思親。」異地思親啊！

行楷

甲骨文

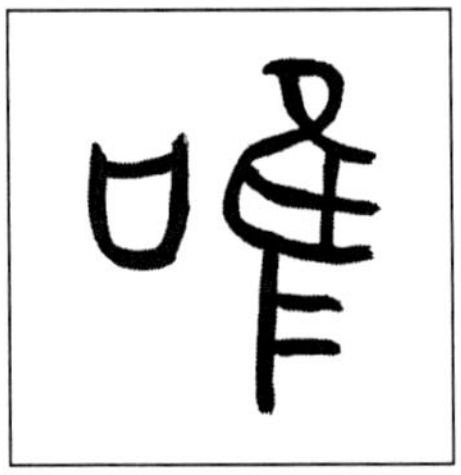
金文

小篆

行書

甲骨文：是一隻鳥的形狀，是「隹」的初字，「隹」是短尾鳥的總稱，一隻鳥表示「單獨」，是個會意字。

金文：在鳥的右邊加了一個「口」字，表鳥鳴之聲。

小篆：由金文演變而來，鳥形已文字化了。

唯：楷書：由小篆字形轉換而來，仍可看出鳥鳴之義。

唯之簡化字與繁體字相同。

## ◆古義

「玉篇」：「唯，獨也。」單獨，只此也。「易經・乾卦」：「知進退存亡，而不失其正者，其唯聖人乎！」對事物知所進退，並懂得存續與衰亡的道理，而又不失正道的人，大概只有聖人才能做到吧！「詩經・小雅・斯干」：「唯酒食是議，無父母詒罹。」「詒」同「貽」，給、送。「罹」指憂也。只有談論酒食，不給父母增添憂慮。亦「以」也，「以此」也。「左傳・昭公十二年」：「今周與四國服事君王，將唯命是從，豈其愛鼎？」現在周朝和四國都順服事奉君王，都只以君王之命而服從之，怎會捨不得賞賜一座鼎呢？故知「唯」之本義為「單獨」、「只此」也。亦用於語助辭，「論語・述而」：「與其進也，不與其退也。唯何甚？」「與」是「稱許」，只稱評他來進見之美意，而不稱許他離後的作為，為何要如此拒絕呢？因鳥鳴而引申為語詞，應諾也。此時讀（尾）音。「禮記・曲禮」：「摳衣趨隅，必慎唯諾。」「摳（音口平聲）是「提起」，提起下裳走到席後，待主人問話後，恭敬的應答。

## ◆今意

在古之「六經」中，「唯」、「惟」、「維」三字均通作語助詞，但其又各另有專義，「唯」與「惟」用於「只有」、「單獨」時之「唯（惟）一」、「唯（惟）」有時，可互通，「維」指細長物之繩索、纖維等，「惟」亦指「思想」、「思念」，故當用於「思惟（維）」時可互通。「唯」與「諾」均指「應答」，但「諾」更有不持異議之義，兩字疊用為「唯唯諾諾」，指行相隨順，沒有任何反對的樣子。現在男女在熱戀時期都喜歡説：「妳是我的唯一。」這可得説話算話，如果做不到，千萬別隨便説説。有些人喜歡添亂，唯恐天下不亂，有些是有其目的而蓄意為之，不足取也，有些是天性、放蕩不羈，亦不足仿傚也，還是古人説得好：萬般皆下品，唯有讀書高。」還是多讀點書吧！

行楷

甲骨文

金文

小篆

行書

甲骨文：左邊是一個豎起來的矮茶几，几腳朝左、几面朝右，右邊是一塊肉，表示將肉放在矮几上，是個會意字。

金文：左邊變成「爿（音牆）」，木几也，右上為「肉形」，下為雙手，用雙手將肉捧放木几之謂。

小篆：雙手變成「寸」，亦指手，其義相同。

將：楷書：由小篆筆法演變而來，已不見肉形。

将：簡化字：依行書筆法簡化而來。

## ◆古義

「將」之本義為「捧肉於桌」，以「奉也」、「養也」。「詩經・小雅・四牡」：「王事靡盬，不遑將父，不遑將母。」「盬（音古）」指閒暇，公事太忙，沒時間奉養父母。引申為「扶」、「助」，「詩經・周南・樛木」：「樂只君子，福履將之！」「履」通「祿」，快樂的君子啊，福祿使您獲得扶助與保佑！亦「進」也，「詩經・周頌・敬之」：「日就月將。」日有所成，月有所進也。亦「將要」、「快要」、「易經・繫辭上傳」：「是以君子將有為也，將有行也。」所以君子將要有所作為，將有所行動。亦「送」也，「詩經・邶風・燕燕」：「之子于歸，遠于將之。」這位姑娘要出嫁了，遠遠的送了一程又一程。另一讀音為「將（音醬）」，軍之將帥也。「呂氏春秋・執一」：「軍必有將。」又唸「將（音槍）」，請也、願也。「詩經・衛風・氓」：「將子無怒，秋以為期。」請你不要生氣，定秋天為婚期。

## ◆今意

「將」之本義為「捧肉奉養」，其引申之義頗多，限於篇幅，無法逐一例舉，其常用詞句有：將要、將就、將來、將本求利、將計就計、將錯就錯、將信將疑，軍中高階軍官的將軍，下象棋中的「將軍抽車」，以及唸（醬）時的三軍將士、將門虎子、將相、將帥、高級將領、將在外君命有所不受等。另讀（搶）表示請、願之義者，現幾已不用，「將將」是指碰撞聲，今則多用「鏘鏘」。古之將軍多半為國犧牲性命或青春。如「宋・范仲淹」：「人不寐，將軍白髮征夫淚。」「木蘭詩」：「將軍百戰死，壯士十年歸。」「宋・辛棄疾」：「將軍百戰身名裂，向河梁回頭萬里，故人長絕。」李陵未能為國捐軀，活著可能比死還苦！

行楷

金文

小篆

行書

金文：上半部像冠纓之形，帽帶子也，下半部像繫於腰間的帶子，是個象形字。

小篆：由金文演變而來，為了不重複，下半部的帶子變成「巾」，其義不變。

帶：楷書：由小篆字形轉換而來，仍有古義。

带：簡化字：由行書筆法簡化而來。

## ◆古義

《說文》：「帶．紳也。」「紳」者，大帶也，繫後「帶」頭仍長而下垂者也。男子鞶帶，婦人帶絲，象繫佩之形，佩必有巾，故「帶」從巾。「鞶（音盤）」是指大的帶子。「禮記．玉藻」：「凡帶必有佩玉，雖喪否，君子無故玉不去身，君子於玉比德焉。」凡是繫腰帶者，必都佩玉，只有服喪之時不掛，君子非特別原因，玉佩都不離身，因為君子用玉佩代表德行。故知帶之本義為「腰帶」。引申為「衣服」、「詩經．衛風．有狐」：「心之憂矣，之子無帶。」我心憂愁啊，思念的人遠在他鄉，沒有禦寒之衣。亦引申為「行」也，由人帶領，隨人而行。由跟隨相連而有「連帶」之義。「帶厲」是封爵之誓，「使黃河如帶、泰山若厲。」黃河如衣帶，泰山如砥厲右，則國祚永存也，一個區域可稱「帶」，如「華南一帶」。亦有「夾雜」之義，如「面帶微笑」。

## ◆今意

「帶」之本義為「腰帶」，因與「玉佩」相連，故常用「佩帶」形容把物品別在身上，如佩帶飾物、名牌、出入証、手搶等。因「連帶」而衍生出「帶財」、「帶種」、「帶壞」，以及台語的「帶衰」、「帶屎」等。最近都市發展快速，道路尤然，往往下了高速就找不到路，於是有「帶路」的新興行業，但不久將被「衛星導航」取代，科技一日千里，誰能帶領風潮，走在前端，就能掙到錢，被帶者、隨人而行者，恐怕都只能做個後知後覺者。現在只要是用布或皮革等做成的長條繫物皆稱「帶」，如「鞋帶」、「吊帶」、「皮帶」等。但最可怕的是「地震帶」！

行楷

金文

小篆

行書

金文：左右兩邊是兩扇門的形狀，中間下方是個十字形，表示門閂，用閂子將兩扇門關上門緊，是個會意字。

小篆：門的邊框拉長了，中間的橫閂變成兩道，將門閂得更緊。

閉：楷書：由小篆字形演變而來，中間的門閂依其形變成了「才」字，仍有「閉」之古義。

闭：簡化字：是楷書的簡體字，今用於簡化字。

## ◆古義

《說文》：「閉，闔門也。」「闔」者，關閉也。「左傳、哀公十五年」：「門已閉矣。」衛國大夫子羔對子路說：城門已經關上了。「禮記・月令」：「戒門閭，脩鍵閉。」「鍵」是關門時插在門上的金屬門子，天子命令司徒要警戒門閭，修好門閂。「左傳・桓公五年」：「始殺而嘗，閉蟄而烝。」「始殺」是指秋氣肅殺，「嘗」是「秋祭」、「閉蟄」指昆蟲閉户冬眠，「烝」指冬祭，七月孟秋、秋氣肅鷁、舉行嘗祭、昆蟲蟄眠，舉行冬季。故知「閉」之本義為「關門」。引為「堵塞」，「易經・坤卦」：「天地閉、賢人隱。」天地閉塞，有賢德的人便退隱不出。亦有「隱藏」義，「尚書・大誥」：「予不敢閉于天降威。」「威」通「畏」，指可畏可怕之天災人禍，周公不敢隱藏上天降下的災禍（管叔叛亂），口合謂之閉，「史記・張儀列傳」：「願陳子閉口，毋復言。」閉上嘴，別再說。

## ◆今意

「閉」是個常用字，由本義之「關門」引申諸多用法，有些亦因時代變遷而有所不同，如「閉門造車」語出「宋・朱熹・中庸或問」：「古語所謂閉門造車，出門合轍，蓋言其法之同。」關起門來製造的車子也能合用，亦自謙之詞，今則只用於憑主觀辦事，根本不符實際之反意語。「閉門羹」語出「唐・馮贄・雲仙雜記」：「史鳳，宣城妓也，待客以等差，下列不相見，以閉門羹待之。」今則泛指拒絕他人進門，但卻不給羹吃。「閉月羞花」是形容女子的美貌，今之年輕人則以「正妹」、「辣妹」稱之。颱風來時要門窗緊閉，如果沒風沒雨亦閉不出户，那應是「閉門苦讀」、「閉門思過」吧，否則就變成「宅男宅女」啦！

行楷

甲骨文

金文

小篆

行書

甲骨文：外形是「門」，門裏有個「口」，表示從門裏發問，「門」亦表聲，是個會意兼形聲的字。

金文：與甲骨文形義相同。

小篆：與甲骨文及金文均形義相同。

問：楷書：是楷書的筆法，與古形古義一致。

问：簡化字：是楷書的簡體字，今用於簡化字。

## ◆古義

《說文》：「問，訊也。」訊問也，因不知而請人解答之謂。「詩經・邶風・泉水」：「問我諸姑，遂及伯姊。」問候諸位姑媽，還有我娘家的大姊。「論語・雍也」：「伯牛有疾，子問之。」孔子的學生伯牛病重，孔子親訪慰問。故知「問」之本義為「詢問」、「慰問」。引申為「訊罪」曰問。「詩經・魯頌・泮水」：淑問如皋陶。」「淑問」是擅長審訊，「皋陶」是舜時掌刑獄的大臣，擅於審訊如皋陶也。亦「命令」也，「左傳・莊公・八年」：「期戍，公問不至。」戍守葵丘已一年期滿，齊襄公移防的命令卻仍未到達。亦「饋贈」也。「詩經・鄭風・女曰雞鳴」：「知子之順之，雜佩以問之。」連接各種玉石所綴成之佩飾稱雜佩，知道你對我溫順，我用雜佩飾贈。亦引申為「書信」、「音訊」。「正韻」：「問與聞同聲，故問通聞。」「聞」指聲聞、美譽也。

## ◆今意

人自呱呱墮地，第一聲哭喊，即擄獲父母的心，從此噓寒問暖，呵護備至，牙牙學語時，如孔夫子入太廟，每事必問，及至上學，你沒問題問老師，老師就考試問你，小考、大考、聯考，一路問你的正確答案，畢業求職要靠本事，千萬別「求神問卜」，工作需認真，要「問心無愧」，談戀愛時千萬別執著於「問世間，情是何物？直教生死相評。」別走進「愛之欲其生、恨之欲其死。」的死胡同，默然祝福是愛情的最高境界。婚後千萬別「尋花問柳」，當孩子出生，您的父母也老了，您的「噓寒問暖」千萬別只給孩子而吝於父母，要時時貼心問候，人的一生都在「問」。「尋花問柳」本指春日踏青，遊賞怡人景色，現在卻變成形容行為放蕩不檢點。「問道於盲」語出「唐・韓愈・答陳生書」，是有人前來請教，有如向瞎子問路，是自謙之詞，今則訛變為鄙視別人的貶義詞，謬也！

行楷

甲骨文

小篆

行書

甲骨文：左邊是一個面朝右跪著的女子表形，右上是一隻耳朵，耳旁有一隻手，用手揪住耳朵是「取」，表聲，是個會意兼形聲字。

小篆：由甲骨文演變而來，變成上下的寫法。

娶：楷書：依小篆字形轉換而來，與古義相同。

娶之簡化字與繁體字相同。

## ◆古義

「娶」之本字為「取」，經史中多作「取」，《說文》：「娶，娶婦也。」「段玉裁」注：「取彼之女為我之婦也。」「左傳‧隱公元年」：「初，鄭武公娶于申，曰武姜。」當初，鄭武公從中國娶了一個妻子，名叫武姜。「詩經‧齊風‧南山」：「娶妻如之何？必告父母。」「取」是古「娶」字，要娶妻該怎麼做呢？必須先稟告父母。「史記‧吳起傳」：「吳起取齊女為妻。」吳起娶了齊國的女子為妻。故知「娶」之本義為「娶妻」。「胡安定‧家訓」：「嫁女須勝吾家，則女之事人必戒；娶婦須不若吾家，則事舅姑必謹。」丈夫之父稱「舅」，丈夫之母稱「姑」，「唐‧王建，新嫁娘詞」：「三日入廚下，洗手作羹湯；未諳姑食性，先遣小姑嘗。」「姑」是丈夫的母親，「小姑」是丈夫的妹妹。

## ◆今意

語云：「娶妻娶德」。古人要求婦女要「三從四德」、「三從」是未嫁從父，既嫁從夫，夫死從子。「四德」是指婦德、婦言、婦容、婦功。今之觀念雖異，但仍應具備孝順公婆、體貼丈夫、善教子女的美德。常有人問我：「娶什麼樣的女子為妻才是最理想的？」答以：「娶妻當如韋蕙叢。」韋蕙叢是唐代大詩人元稹的妻子，其遣悲懷詩中有「顧我無衣搜藎篋，泥他沽酒拔金釵。」想喝酒時，跟老婆撒個嬌，她便拔下頭上的金釵去換酒，多體貼，「野蔬充膳甘長藿，落葉添薪仰古槐。」貧寒渡日子亦甘之如飴，多會過日子啊！這種老婆太難找了，能找個不跟公婆頂嘴罵人，不對老公大吼小叫，疼愛孩子的就行啦！

行楷

甲骨文

金文

小篆

行書

甲骨文：左邊是一隻左手的形狀，右邊是一扇門形，用手把門打開，啟也，是個會意字。

金文：門變到左上方，手變到右上方，下面是個「口」，門打開，有一個口可以進出。

小篆：右邊變成「攴（音撲）」，輕打之義。

啟：楷書：由小篆字形演變而來，由「戶、口、攴」組合，仍有門開之義。

启：簡化字：「启」古與「啟」同，今用於簡化字。

## ◆古義

「玉篇」：「啟，開也、發也。」「左傳・昭公十九年」：「莒共公懼，啟西門而出。」莒共公恐懼，打開西門而去。「尚書・堯典」：「胤子朱・啟明。」「胤子朱」是堯的兒子丹朱，「啟」是「開」，開明、通達。「開」亦「教」。「論語・述而」：「不憤不啟。」「憤」是發憤，自己如不先發憤讀書，便不用去開導他、教導他。故知「啟」之本義為「打開」、「開導」。「爾雅・釋言」：「啟，跪也。」「啟」與「跽」通，長跪也。「詩經・小雅・四牡」：「王事靡盬，不遑啟處。」「靡盬（音古）」是不止，「啟處」指跪歇，安居，公事沒完沒了，我無暇安居在家。軍隊在前者曰啟，開道或衝鋒者；在後曰殿，殿後也。「詩經・小雅・六月」：「元戎十乘，以先啟行。」「元戎」是指大型戰車，以十輛開道作先鋒。官府的通告亦作啟，如「緝兇啟事」、「尋人啟事」等。

## ◆今意

啓為打開之古義至今未變，打開腦的思維，使之頓悟新思想、新理念稱「啓示」。打開「蒙昧」稱「啓蒙」，第一本書、第一位老師稱「啓蒙書」、「啓蒙師」。對學習不夠努力或未能開悟之學生，要給予「啓迪」、「開導」。現在西方國家比較重視「啓發式教育」，而我們的孩子接受的多半是「填鴨式」。用於公告周知的稱「啓事」，用於私人信函書札者稱「書啓」。手頭拮据，想跟人借錢，卻很難「啓齒」，男女之間「最難啓齒是表白」。分不清是非黑白、邪惡善良之人該送「啓聰」、「啓智」、「啓明」等學校「振聾啓聵」一番，必有「啓發」！

行楷

甲骨文

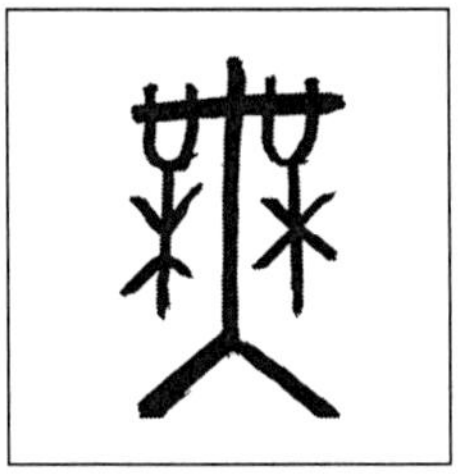

金文

小篆

行書

甲骨文：正中間是一個站立的人形，左右兩邊是牛的尾巴，人的雙手舞動著牛尾，正在跳舞之義，是個象形字。

金文：左右的牛尾多了裝飾物，變得複雜了些，但跳舞之義不變。

小篆：人形與牛尾均較金文複雜。

無：楷書：由小篆的字形簡化而來。

簡化字：「无」、是古時的「無」字，易經多用「无」為「無」，今簡化字亦以「无」代「無」。

## ◆古義

「無」之本義為執牛尾跳「舞」，被借為「有」之對義字後，即在「無」下加雙腳「舛」成「舞」字，從此「無」、「舞」分用。《說文》：「無」，亡也。」「亡（音無）」古與無同，亡者，失也。「玉篇」：「無，不有也。」「無」是「有」的反義。「論語•為政」：「大車無輗，小車無軏。」「輗（音尼）」是車轅前端的橫木，「軏（音岳）」是轅端上彎之處，車子沒有轅木，怎能行動！「無」亦不也。「尚書•洪範」：「無偏無陂。」「偏」指不正不平，「陂（音畢）」傾斜、不正。「無」亦未也。「荀子•正名」：「外重物而不內憂者，無之有也。」亦用於語首助詞。「詩經•大雅•文王」：「無念爾祖，聿脩厥德。」「無」與「聿」均為語助詞，「無念」即念也，當念汝祖文王之法，修養自己的品德。「無忝」是不辱。「詩經•小雅•小宛」：「夙興夜寐，無忝爾所生。」早起晚睡，不辱生你的父母。「無」亦與「毋」同，禁止之詞。

## ◆今意

「無」自被借用為「有」的對義字後，即與跳舞沒了關係，「無」字也成了現代語言文字的常用字，「無債一身輕」、「無官一身輕」是放下沉擔，輕鬆愉快。「無由」、「無因」、「無端」均指沒來由、沒原因，但「無風不起浪，事出必有因。」卻指事情已有徵兆。「無慮」、「無虞」是沒有或不必憂慮，但「世事無常」，沒有憂患意識則必憂慮。父母照顧子女是「無微不至」的，反之，子女照顧父母呢？君不聞「久病床前無孝子」乎？能不憂慮？常聽人說：「苦海無涯」。我則認為「學海無涯」，多讀書必能化苦為甜。「無」當禁止之詞時可與「毋」同，至今亦然，如「無枉無縱」即「毋枉毋縱。」

行楷

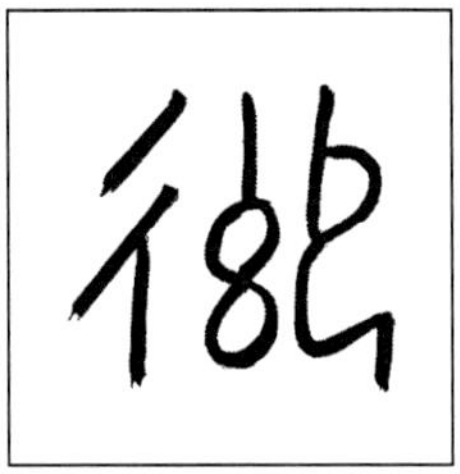

甲骨文

金文

小篆

行書

甲骨文：左邊是「彳（音赤）」，指小步、緩步或暫停之義，中間是一條繩索，右邊是一個面朝左拿繩索趕車之人，是個會意字。

金文：左邊是匹馬，右上是條鞭子，鞭下爲手形，手執鞭以策馬也。在金文中「馭」有多種字形與寫法，此爲較常用者。

小篆：由金文簡化而來，以手馭馬，不見鞭形。

馭：楷書：由小篆字形轉換而來，仍有以手馭馬之古義。

驭：簡化字：「馬」字綜合書法中之行草筆法簡化之。

## ◆古義

「玉篇」：「馭，與御同，使馬也。」駕馭馬或馬車，使之隨馭者之意行止。「淮南子・覽冥」：「昔者王良、造父之御也；上車攝轡，馬為整齊而斂諧，投足調勻，勞逸若一。」「王良」是春秋時之善御者，「造父」是周繆王的御者，二人御術，留名千古。《說文》：「馭，御解車馬也，或彳或卸，皆御者之職，古作馭，亦侍也，進也。」駕駛車馬，鬆緊快慢是馭者之責也。故知「馭」之本義為「駕馭車馬」。引申為「統制」之義。「周禮・天官・太宰」：「以八柄詔王馭羣臣，以八統詔王馭萬民。」「八柄」是：爵、祿、予、置、生、奪、廢、誅。「八統」指：親親、敬故、進賢、使能、保庸、尊貴、達吏、禮賓。「馭夫」、「馭者」均指駕馭車馬之人。上位者統制其下之人稱「馭下」，天子登基即位稱「馭極」，登極也！

## ◆今意

古時，「馭」與「御」同，此指兩義有交集的部分，同為駕馭車馬者，然「馭」則隱含駕馭之術。「御」之引申義較「馭」為多，如「侍奉」、「進奉」、天子所行之事皆稱御，如「御覽」、「御製」、「御筆」等，天子之妃嬪亦曰御，御亦有「防禦」之義，古多用「防御」後人欲別之而改用「防禦」。「御」亦為姓氏之一，「馭」、「禦」則無。古之「馭風客」是指凌空騰雲而行的仙人。「馭夫」則指掌理車馬之官吏，今之「馭夫」是指妻子「駕馭」、「管理」丈夫，姐妹淘相聚時，更常交換心得，「御夫之術」自然日益高明也！

行楷

甲骨文

金文

小篆

行書

甲骨文：兩串絲縷之形，頂端是將兩絲相連便於手提之形，絲縷中有三條橫線，表示切斷之義，絲斷不續謂之絕，是個會意字。

金文：兩串長長的絲縷被刀切成四段，義與甲骨文同。

小篆：字形筆法化，左邊是「絲」，右上為刀，下為「卩（音節）」，表聲，此時是個形聲字。

絕：楷書：由小篆字形轉換而來，已無斷絲之義。

绝：簡化字：「糸」以行書筆法簡化之。

## ◆古義

《說文》：「絕，斷絲，從糸從刀從卩。」原為「㔾」，是剖為兩半的信物，隸書作「卩」，用刀將絲斷成兩半，使之不相連之謂。「論語・子罕」：「子絕四：毋意、毋必、毋固、毋我。」「絕」指「斷」也，「無」也。孔子戒斷四種心理：無成見、不專斷、不固執、無私心。居而無食，糧食中斷亦曰「絕」，故知絕之本義為「斷」。引申為「竭」，竭者，盡也。「淮南子・山川」：「江河山川絕而不流。」亦「極」也，「詩經・小雅・正月」：「終踰絕險，曾是不意。」終於越過極險之處，當初你對此處卻不以為意。故極美之女子稱「絕色」。無人能及之技藝稱「絕技」。妙到極點稱「絕妙」，好到極點稱「絕佳」。極遠的邊塞稱「絕塞」。沒有子嗣繼承香火稱「絕嗣」。

## ◆今意

「絕」之「斷」義至今未變，且常兩字連同用以加強語氣，如「斷絕關係」、「斷絕往來」之「絕交」等。物中之極品稱「絕品」，揶揄別人妙到極點可說：「你好絕哦！」此句亦用於負面的貶義詞。現在有很多人因「抗議」而採取「絕食」行動，只喝水、不吃飯，搏取不少媒體版面。「絕弦」是俞伯牙為鍾子期「摔琴謝知音」的故事，今之知音難覓，摔名琴終身不彈者，恐未之有也！「絕妙好辭」是「世說新語・捷悟」曹操與楊修過曹娥碑，見「黃絹幼婦，外孫齏臼。」八字的故事，曹操雖謙語楊修曰：「吾才不及卿，乃覺三十里。」實已種下殺機，故有才能者，不宜鋒芒太露也！

行楷

甲骨文

小篆

行書

金文：外形像間房屋，屋中間有個面朝左光著腳丫，踩在冰塊上的人，最下面的兩橫表示冰塊，人的兩旁有四個十字形，表示四把乾草，用以取暖，是個會意字。

小篆：由金文演變而來，形與義均同。

寒：楷書：與小篆字形大不相同，亦看不出「寒」義。

寒之簡化字與繁體字相同。

## ◆古義

《說文》：「寒，凍也。」凍即冷也。「玉篇」：「寒，冬時也。」冬天氣候寒冷，水會結冰。「荀子・勸學」：「冰，水為之，而寒於水。」冰是水因寒凝結而成，故比水寒。「易經・繫辭」：「日月運行，一寒一暑。」日與月周而復始的循環推移，構成大地寒來暑往的規律更替。故知「寒」之本義為「寒冷」。引申為「貧寒」、「窮困」。「史記・范雎傳」：「范叔一寒如此哉。」竟貧寒如此也！「舊唐書・鄭薰傳」：「舉引寒俊，士類多之。」「寒俊」是指「貧寒」而有才能的人。因「貧寒」而心生恐懼、戰慄。「文選・宋玉・高唐賦」：「寡婦孤子，寒心酸鼻。」「寒心」即戰慄也。亦引申為「涼薄」、「冷漠」。「左傳・閔公・二年」：「雖知其寒，惡不可取。」雖然知道晉献公心意涼薄，但不忠不孝之惡名不可取也！「寒荊」是對人謙稱自己妻子的稱呼，「荊」是多刺的灌木，古之貧婦斷荊為釵，作為頭飾。「拙荊」亦同義。

## ◆今意

「寒」與我們的生活息息相關，「寒流」來襲，必穿冬衣禦之，氣溫降至零度以下，雨成雪、水成冰、湖水結冰三尺厚，絕非一日造成，故云：「冰凍三尺非一日之寒。」「十年寒窗無人問，一舉成名天下知。」「寒窗」是指家境清寒，此亦即「非經一番寒澈骨，那得梅花撲鼻香。」功名富貴絕非一蹴可幾，必須多年苦學苦讀、苦幹實幹，才能出人頭地，收得幸福的果實。「寒荊」、「拙荊」今幾已不用，因既有貶義，又不親暱，老婆大人絕對抗議！我喜歡「唐・太上隱者・答人」：「偶來松樹下、高枕石頭眠：山中無曆日，寒盡不知年。」與世無爭，逍遙無憂也！

行楷

甲骨文

金文

小篆

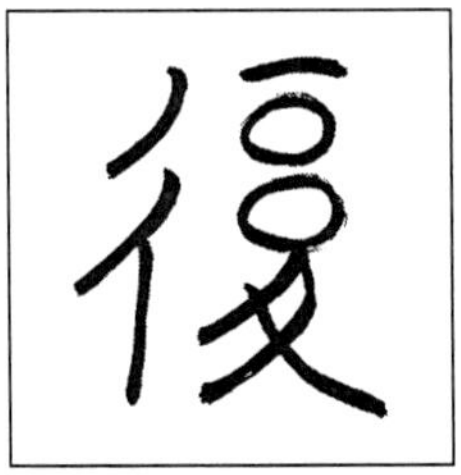

行書

甲骨文：上半部像一個村邑，上下兩端有出入，下半部是一隻腳形，可由此端進入，彼端出去之謂，是個會意字。

金文：左邊多了「彳」與「止」，更表足之往返行動。

小篆：較金文簡化，其義不變。

復：楷書：由小篆字形演變而來，隱約仍存古義。

复：簡化字：「复」本義為「行故道也。」「段玉裁」註：「彳部又有復，復行而复廢矣。」「复」為甲骨文之古形，後世多寫成「復」，故「复」漸少用，今以之代「復」，以簡化之。

## ◆古義

《說文》：「復，往來也。」「爾雅・釋言」：「復，返也。」去而返回之謂。「易經・復卦」：「敦復・無悔。」敦厚的回復向善之道，必然無悔。「詩經・小雅・黃鳥」：「言旋言歸、復我邦族。」「言」是語助詞，旋與復均指返回，回去吧，回去啊！回到我的祖國家園。故知「復」之本義為「返回」。引申為「再」、「又」、「反復」，「詩經・小雅・蓼莪」：「顧我復我，出入腹我。」「復（音福）」照顧我，來回反復的為我，進出都抱著我。亦引申為「答」、「告」之義，「史記・司馬相如傳」：「王辭而不能復。」是指王推辭而不回答。亦「報也」、「顛覆」也。「左傳・定公四年」：「其亡也，謂申包胥曰：我必復楚國！」伍子胥逃亡之時，對申包胥說：我一定要顛覆楚國。「復」亦與「複」、「覆」通，如「複雜」、「反覆」等。

## ◆今意

「復」之本義為「返回」至今未變。古「復」與「複」、「覆」通，今則「復興」、「復元」、「復旦」、「復古」、「復仇」、「復活」、「復辟」等，不宜用「複」、「覆」。「複比」、「複本」、「複式」、「複利」、「複葉」、「複寫」、「複數」、「複雜」等不宜用「復」、「覆」。「覆滅」、「覆審」、「覆轍」、「天覆地載」、「覆水難收」、「翻天覆地」等不宜用「復」、「複」。已遭否決或被廢棄的議案，如再行開議稱「復議」，對同一案件或犯者再審查（訊）一次稱「覆審」，兩者是有差異的。「復籍」是回復國籍或原籍，不宜用「複」、「覆」二字。「復」除用於動詞中的「返回」、「回答」等外，亦多用於副詞中的「再」、「又」等。如「唐・王維・送別」：「但去莫復問，白雲無盡時。」「唐・張籍・秋思」：「復恐匆匆說不盡，行人臨發又開封。」

行楷

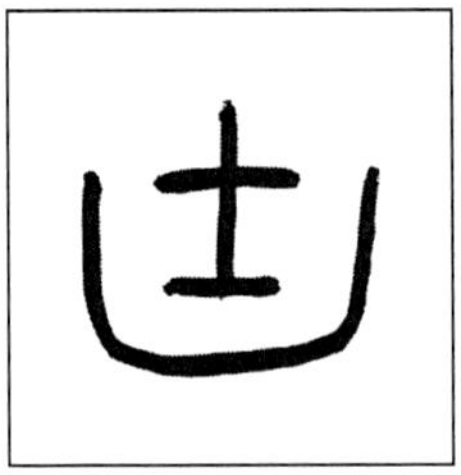
甲骨文

金文

小篆

行書

甲骨文：外形是個筐，筐裡是個「土」塊，以筐裝盛土塊，是個會意字。

金文：由甲骨文演變而來，土塊變成數量不同的兩堆。

小篆：把「土」放在左邊，表形，右邊是「鬼」，表聲，此時變成形聲字。

块：簡化字：本為「塊」的俗體字，今用為簡化字。

## ◆古義

《說文》：「塊，墣也。」「墣（音僕）者，土塊也，土之結合成塊也。「凷」是古字，小篆以後用「塊」。「禮記・喪大記」：「父母之喪，居倚廬，不塗，寢苫枕凷，非喪事不言。」「倚廬」是以樹木茅茨所搭服喪時居住之處，「苫（音山）」是居喪用的草席，服父母之喪，應住在臨時搭蓋的倚廬裡，廬內不塗泥飾，睡在草席上，用土塊做枕頭，不說與喪事無關的話。「左傳・僖公二十三年」：「晉公子重耳出亡，過衛・衛文公不禮焉，出於五鹿，乞食於野人，野人與之塊。」重耳流亡經過衛國時，衛文公不以禮相待，從五鹿（今河南濮陽）向東行，向田野農夫討飯吃，農夫卻給他一個土塊。故知「塊」之本義為「土塊」。引申為「孑然」、「孤獨」，「漢書・楊王孫傳」：「其屍塊然獨處，豈有知哉？」「塊然獨處」即寂寞孤獨也。

## ◆今意

「塊」之本義為「土塊」，今則多用於計較，物之一件曰「一塊」，如「一塊蛋糕」、「兩塊餅干」、「這塊地是我買的」、「那塊地種的是小麥」等，同在一個地方如「大夥兒一塊兒聚聚」，「一元」稱「一塊錢」，別看它小差一塊錢都上不了公車，古時「一文錢逼死英雄漢」，今則要改為「一塊錢」了。古之英雄豪傑，江湖人士「大碗喝酒、大塊吃肉。」豪爽之氣溢於言表，現在可得小心啦，如此吃喝，必然傷身，古服父母之喪，居廬屋、睡草席、枕土塊，今則已不湏如此，只要能「慎終追遠」，已算是個孝子了，「塊然獨處」除指寂寞孤獨外，現在還指一個人單獨居住，也許失去了老伴，也許是子女們都喜歡自已組織小家庭，不願和您老「一塊兒」住，人老了就成了累贅，哀哉！

行楷

甲骨文

金文

小篆

行書

甲骨文：像一條大的河流，旁邊有支流，是個「永」字，表示河流長、久之義，是「詠」字的初文，是個象形字。

金文：左邊仍是河流與支流之形，即甲骨文的「永」字，表聲，右上是個小方形「口」，表形，此時是個形聲字。

小篆：左邊由金文的「口」變成「言」旁，左邊與金文相同。

詠：楷書：由小篆字形轉換而來。有「歌永言」之義。

咏：簡化字：「言」旁以行草筆法簡化之。

## ◆古義

「詠」之本字為「永」，「永」是古字，金文加「口」為「咏」，小篆加「言」為「詠」，「咏」是異體字，「詠」是今字。《說文》：「永，水長也。」「詩經・周南・漢廣」：「江之永矣・不可方思。」「江」指長江，「方」是木筏，長江之水長又長，不可以乘木筏橫渡。「永」字加「口」、「言」為「咏」、「詠」，表示「歌」與「長言」後，「永」、「詠」即分義分用。《說文》：「詠・歌也。」「玉篇」：「長言也。」「說文徐灝箋」：「詠之言永也，長聲而歌之，所謂聲依永也。」「前漢・藝文志」：「詠其聲謂之歌。」「論語・先進」：「浴乎沂，風乎舞雩，詠而歸。」在沂水沐浴，在壇墠林木間享受清風，大夥兒再唱著歌兒回家。另古之詩詞皆「吟詠」，吟歎歌詠之謂。引申為「鳥鳴」曰「詠」，「陸機・悲哉行」：「耳悲詠時禽。」耳聞鳥鳴引悲情。「詠」亦有讚賞之義，如「詠梅」、「詠雪」等。

## ◆今意

古之詩經、詩、詞等多以「吟詠」為主，即今之唱也，長聲而歌之謂「詠」，如「詠史」是指歌詠史事之詩，晉時袁宏少有逸才，文章絕美，有詠史之詩傳世。晉阮籍擅「詠懷」詩，嘆人情澆薄，逐勢利己，因而以詩舒懷，後人如胸有塊壘，亦常「詠懷」仿之。晉代謝安的侄女謝道韞之「詠雪」名句有「未若柳絮因風起。」後人逐喻有詩才之女子為「詠雪之才」。似乎晉代出了不少詩壇名人。現在我們讀詩詞，都是用唸的或朗誦的，詩經等古樂譜早已失傳，不知如何唱法，倒是戲曲、流行歌曲是用唱的，唱亦如「詠」，長聲而歌之，有些歌者口齒不清，詞不知義，聽者受罪啊！

行楷

甲骨文

金文

小篆

行書

甲骨文：外形是一顆桑樹，亦是甲骨文的「桑」字，桑樹中有三個「口」，表示悲傷而哭，「桑」表聲，「口」表形，是個形聲字。

金文：上部變成四個口的「噩」字，下部變成「亡」字，「亡之噩耗」，喪也，此時變成會意兼形聲的字。

小篆：上部簡化為兩個口的「哭」，「因亡而哭」，喪也。

喪：楷書：由小篆字形演變而來，見「哭」不見「亡」。

丧：簡化字：喪是楷書的簡體字，今用於簡化字。

## ◆古義

「玉篇」：「喪，亡也。」死亡之事也。「禮記・檀弓上」：「孔子之喪，公西赤為志焉。」公西赤是孔子的學生，「志」指章識，孔子的喪禮是由學生公西赤安排，在棺木內外加了代表爵位和學術地位的章識。「禮記・曲禮上」：「鄰有喪，舂不相；里有殯，不巷歌。」鄰居有喪事，舂米之時不哼歌，鄰里有喪者出殯，不要在巷子裡唱歌。「禮記・檀弓上」：「事親有隱而無犯，左右就養無方，服勤至死，致喪三年。」侍奉雙親不得當眾批評其過失，不得犯顏指責，要隨侍左右，躬親奉養而不推托，直到他們去世，極其哀傷的守喪三年。引申為「失去」時讀「桑的去聲」。「論語・八佾」：「二三子，何患於喪乎？」你們何必要憂慮失位去國之事呢？兩種讀音亦可連用。「禮記・檀弓上」：「子夏喪（音桑）其子而喪（音桑去聲）其明。」孔子的學生子夏因兒子去世而哭瞎了眼睛。

## ◆今意

凡與「喪事」有關的，要唸（桑），與「失去」有關的要唸（桑去聲），「婚」是高興之事，要掛紅帳、發紅帖、送紅包，「喪」則悲傷哀戚，要掛白帳、發白帖、送白包。讀「禮記」得知，古之「喪禮」太繁瑣，今已從簡，但「慎終追遠」之古義未變！「慎終有之追遠難。」能慎終已不容易，「追遠」更難，能追幾代？三代以後，誰還記得您？亦常用於「喪失」、「失去」，「喪失」在法律上分「絕對喪失」與「相對喪失」兩種。前者是指權利義務之消滅，後者是指權利義務之移轉。東西掉了可以再買，生意丟了可以再賺，職務失去了可以再努力，最怕是良心丟了，志氣喪了，所謂「喪心病狂」，所謂「懷憂喪志」，那是很難把心魔驅逐，把志氣重建的！

行楷

甲骨文

小篆

行書

金文：是兩扇大門的形狀，門內有橫木擋著，指圈養牲畜的柵欄，是個會意字。

小篆：由金文演變而來，門的邊框拉長，門內的「木」字形化，形義均同。

閑：楷書：由小篆字形轉換而來，古義仍存。

闲：簡化字：是楷書的簡體字，今用於簡化字。

## ◆古義

「說文」：「閑・闌也，從門，中有木。」「闌」者，闌杆也，以木拒門也。「周禮・夏官・校人」：「天子十有二閑，馬六種。」天子有十二個養馬的圈，有六種馬每廄為一閑，每閑有馬二百一十六匹。故知「閑」之本義為「馬圈」。由柵欄引申為「防止」、「防禦」、「易經・家人」：「閑有家，悔亡。」謹防邪僻，端正家風，就能保家，悔恨自然消亡。亦引申為「法度」，「論語・子張」：「大德不踰閑，小德出入可也。」守住大節，不要踰越法度，小節即使稍有出入，亦無傷大雅。亦有「粗大」義，「詩經・商頌・殷武」：「旅楹有閑，寢成孔安。」「旅」是屋檐，「楹」指堂前柱，「寢」是宗廟。屋檐及堂柱均極粗大，宗廟落成，神靈安寧。「閑」用於熟練、文雅時，則與「嫻」通，如「嫻熟」、「嫻雅」。「閑」亦通「閒」，如「閑暇」、「閑靜」、「閑麗」等。

## ◆今意

現在「馬」已非代步工具，更非作戰主力，故閑之本義已消失甚久，其引申之「防止」、「防禦」、「粗大」等義已少用之，踰越法度，失於檢點之「踰閑」或「踰閑蕩檢」則仍常用之。現在「閑」多用於「空閑」的「閑暇」，沒有事做的叫「閑人」，工作輕鬆的叫「閑差事」，「賦閑」在家稱「閑居」，悠哉散步稱「閑步」，說人是非的話是「閑話」，管不該管的事稱「管閑事」，文靜而又美麗稱「閑麗」，與人閑談、聊天稱「閑磕牙」，「閑閑」是優閑自得的樣子，這些都與「閒」通，形容空著沒事時，很多人喜歡用「空閒」，「閒暇」、「閒書」、「閒事」等，兩字實相通也！

行楷

金文

小篆

行書

金文：上半部是個彎彎的月亮，月下有兩扇門，從門的縫隙間可以看見一彎新月，因兩門之間有隙也，是個會意字。

小篆：把月亮從上面移至門扇的空隙內，門扇的邊框拉長至地面，其義更明。

間：楷書：門內的月變成日，其義相同。

间：簡化字：是楷書的簡體字，今用為簡化字。

## ◆古義

「間」之本字為「閒」，古時多用「閒」，後世因「空間」與「空閒」兩義不同，而另造「間」字以稍作區別，「間」由月變日之寫法亦極合理，兩字相通至今。「閒」有（兼、賢、見）等三種讀音。一、讀（兼）音：《說文》：「閒，隙也，從門從月。」「徐鍇」注：「門夜閉，閉而見月光，是有閒隙也。」「莊子‧山木」：「周將處夫材與不材之閒。」山中無用之樹木，無人砍伐，得享天年，鵝却因無用（不會叫）而先被宰殺，莊子曰：我將處於有用與無用之間。二、讀（賢）音。「空閒也」。「禮記‧曲禮」：「少閒，願有復也。則左右屏而待之，如果有人要利用一點空閒時間報告事情，則應退避一旁等候。「左傳‧昭公五年」：「閒而以師討焉。」等有空閒時，再出兵討伐魯昭公。三、讀（見）音。「隔閡」、「嫌隙」也。「左傳‧哀公二十七年」：「故居臣多閒。」魯哀公與三桓之間有嫌隙。亦「諜」也，「爾雅‧釋言」：「閒，俔（音現）也。」即「間諜」、「細作」。「閒色」指錯雜之顏色。

## ◆今意

上古無「間」字，經書典籍均作「閒」，後人另造「間」字以專用於「空間」、「中間」、「一間房屋」、「寫字間」等，讀（見）音時的「間接」、「間隙」、「間諜」、「間斷」、「間奏曲」、「間接稅」、「間不容髮」、「間接選舉」等。當用指「空閒」、「安靜」等時則用「閒」，如「閒情」、「閒談」、「閒官」、「閒房」、「閒雅」、「閒情逸致」、「閒雲野鶴」等，古書中，「閒」即「間」，「閒」又與「閑」通，今則應盡量先辨其義而用之，俾使其義更為明確。「明‧手謙‧詠石灰」：「粉骨碎身渾不怕，要留清白在人間。」「唐：元稹，遺悲懷」：「閒坐悲君亦自悲，百年多是幾多時。」兩詩中之「間」與「閒」兩字對調，雖不能言錯，但總覺有些不妥！

行楷

甲骨文

小篆

行書

甲骨文：上部是兩個木，表示樹林，下部是個山形，表示大火，山林中大火燃燒樹木，焚也，是個會意字。

小篆：兩木中多了兩個╳形，表示林木茂盛。

焚：楷書：由小篆字形轉換而來，林中少了╳形。

焚之簡化字與繁體字相同。

## ◆古義

「玉篇」：「焚，燒也。」「燒」者，以火焚之也。「書・胤征」：「火炎崑岡，玉石俱焚。」崑山出玉，火燒太旺，則玉與石均受其害也。「詩經・大雅・雲漢」：「旱魃為虐，如惔如焚。」「旱魃（音拔）」是旱神，「惔（音談）」是火燒，旱神肆虐，大地像烈火般燃燒。「禮記・月令」：「仲春之月，毋竭川澤，毋漉陂池，毋焚山林。」「漉（音鹿）」是使水乾涸，「陂（音皮）池」是蓄水池，仲春二月，不可弄乾河川湖泊的水，不可濾乾蓄水池的水，不可焚燒山林。故知「焚」之本義為「燒」。「韓非子・難一」：「焚林而田，偷取多獸，後必無獸。」「田」指打獵，「偷取」是不該得而得，用焚燒山林之法來獵取野獸以後將無獸可獵。如同竭澤而魚。

## ◆今意

「焚」就是「燒」，每當求神問卜或祭拜祖先，必焚香禱告，藉煙飄嫋，直達天聽，有的人是心急如焚的燒香，有如臨時抱佛腳，豈靈？古有「焚硯」之舉，自慚文不如人而欲焚棄文房四寶，不再為文之意，今者，家有文房四寶者，稀也！「焚林之求」是晉文公與介之推的故事，焚林以求賢者，而今放火燒山是犯法的！「焚書坑儒」是秦始皇採李斯之議，焚燒詩書，坑殺儒生四百六十餘人於咸陽。「焚琴煮鶴」一般人常誤認為是奢侈浪費，有如用鈔票燒開水，但實際上是指「殺風景」，「義山・雜纂」：列有掃興而殺風景之事：清泉濯足，花下晒裩（褌），背山起樓，焚琴煮鶴，對花啜茶，松下喝道等。糟蹋美好景物，實足敗興也！還是「焚膏繼晷（音軌）」晚上點油燈讀書，直到天亮的精神令人欽佩！

行楷

金文

小篆

行書

金文：左邊是個「其」，表聲，右邊是個「言」，表形，以言欺人，是個形聲字。

小篆：由金文演變而來，右邊的「言」變成「欠」，「欠」是由人形演變而來，以「人」欺人也。

欺：楷書：由小篆字形轉換而來，仍有古義。

欺之簡化字與繁體字相同。

## ◆古義

《說文》：「欺，詐欺也。」行詐於人曰欺。「戰國策・秦策一」：「蘇秦欺寡人。」「欺」即欺騙也，以假做真，說假話騙人。「禮記・大學」：「所謂誠其意者，毋自欺也。」所謂有真誠志意的人，就絕不會自欺欺人。故知「欺」之本義為「欺騙」、「欺詐」。亦引申為「欺凌」、「凌辱」，「凌」與「陵」同，「禮記・中庸」：「在上位不陵下，在下位不援上。」「援」是「攀附」，在上位者，不可欺凌在下位的人，在下位的人不可攀附位高的人「賈誼・新書・解縣」：「匈奴欺侮侵掠，未知息時。」匈奴前來欺侮百姓，侵奪土地財物，不知何時能停止？「欺騙」要有「方」、有「道」，「孟子・萬華」：「故君子可欺以其方，難罔以非其道。」「方」指「道」，「罔」是「蒙蔽」，對於君子是可以合情合理之事去欺騙他，但卻不能以不合情理之事去蒙蔽他。「欺罔」是以蒙蔽的行為欺騙，「欺誑」則是以天花亂墜的言語欺騙別人。「欺誕」是指以誇大之表眾欺騙他人。

## ◆今意

「欺生」是現在常見的現象，學校的新生、部隊的新兵、公司來的新人、外地來的異鄉人等。「欺善怕惡」是人性惡質的一面，「欺貧重富」是虛榮阿諛的一面，「欺世盜名」是名利薰心的一面，製造有毒食品「欺蒙」消費者是禍遺子孫、喪盡天良的罪過，「自欺欺人」莫此為甚！「欺軟怕硬」的人常以「好漢不吃眼前虧」為藉口，其實是個「假君子」、「真懦夫」！男女之間感情若被欺騙，乃一生之痛，是最深的傷害！古時「欺君」是死罪，今者容忍白色謊言，亦稱善意的謊言，這不是欺騙，是善念！

行楷

金文

石文

小篆

行書

金文：上面是手爪之形，下面是隻手形，中間是個纏捲絲線的「笠（音護）」，絲線最容易亂，

上下兩手正忙著整理，是個會意字。

石文：左邊字形由金文演變而來，形似義同，右邊又多加了一個人形，亦像一隻手形。

小篆：由石文演變而來，纏捲絲線的笠變成高高的架子，可收纏更多絲線。

亂：楷書：由小篆字形演變而來，已看不出理絲之古義。

乱：簡化字：是楷書的簡體字，亦用於簡化字。

## ◆古義

「玉篇」：「亂，理也。」「爾雅・釋詁」：「亂・治也。」《說文》：「亂・治也。」「尚書・臯陶謨」：「願而恭，亂而敬，擾而毅。」因治理而能敬謹。故知「亂」之本義為「整理亂絲」，因整理引申為「治理」。因其「治亂」之義而被後人專用於「亂」，如「動亂」、「紊亂」。蓋因「不治則亂」，「治」義遂漸消失。「爾雅・釋訓」：「夢夢、訰訰、亂也。」夢夢是昏亂，訰訰是紛亂，皆混亂之謂。「論語・泰伯」：「危邦不入，亂邦不居。」危險的國家不要去，紛亂的國家不要居住。「孟子・滕文公」：「孔子成春秋，而亂臣賊子懼。」「亂臣賊子」指背叛君主、悖逆父母者。戲劇「今古奇觀」有「喬太守亂點鴛鴦譜及「花田錯」等劇，將兩對夫妻擅為錯配也。「論語・泰伯」：「關雎之亂。」是指音樂或賦的最後一章、一篇。橫渡河流亦謂「亂」，蓋水流為順，船橫水而渡，絕其流，故曰亂。

## ◆今意

「治理」是正面之義，今者「亂」仍專用於負面的「雜亂」、「紊亂」、「治理」一義幾已不存。如把「亂臣」解釋為「治臣」，那就南轅北轍，義失千里啦！「亂離」是指因戰亂而顛沛流離。「唐・李益・喜見外弟又言別」：「十年離亂後，長大一相逢。」戰爭曾使無數人離鄉背井，妻離子散！雙親倚閭，終老未歸！亂世中的文人亦甚落拓淒涼。「宋・呂蒙正・祭灶詩」：「一碗清湯詩一篇，杜君今日上青天；玉皇若問人間事，亂世文章不值錢。」有「百無一用是書生」的無奈，讀來令人鼻酸！

行楷

金文

小篆

行書

金文：左邊是一串細絲，表形，右邊是織布的工具，上方三條縱線表示「經線」，下方是支撐工具的架子，是個象形字。

小篆：左邊的絲不變，右邊織布工具僅剩底座，主要表達「絲」的縱線。

經：楷書：由小篆之字形轉換而來，其義不變。

簡化字：「经」：左邊「糸」取行書筆法，右邊「巠」取楷書的簡寫法，兩者合併而成。

## ◆古義

《說文》：「經，織也。」織布需有縱線與橫線，縱曰「經」，橫曰緯。「玉篇」：「經緯以成繒帛也。」絲線以縱橫相織，才能織成布帛。「論衡‧量知」：「紡績織經。」「績」者，緝麻為布，「織經」指織縱絲也。故知「經」之本義為「織」。「易經‧屯卦」：「君子以經綸。」經綸是治絲，比喻治國，「綸」指青的絲繩。故「經」亦引申為「治」。「左傳‧昭公二十五年」：「為夫婦外內，以經二物。」夫治外、婦治內之謂。「史記‧秦始皇紀」：「皇帝明德，經理宇內。」「經」指常法，「理」乃條貫，治理國家之常法條貫也。引申為「經歷」、「過往」、「漢書‧東方朔傳」：「上古之事，經歷數千載尚難言也。」聖賢所著之書曰「經」，如十三經、大藏經、道德經等，一般書籍亦有「襲」經為名者，如山海經、茶經等。古稱「六經」為「六藝」，「經藝」是兩者之併稱。「經」亦有「自縊」、「自陷」之義。「論語‧憲問」：自經於溝瀆。」

## ◆今意

「經」已不用於織布，而常用於「治理」、「經歷」、「經典」、「經營」等。小老百姓「經營」小買賣，大人物主持「經國大計」。古之「經理」指治國，今則通稱企業管厘事物之主管為「經理」。古時聖賢著「經書」，今者「家家有本難唸的經。」古時以科取士，今者，沒有好的學歷、經歷是不容易找工作的。「事非經過不知難」，不好好讀書是會四處碰壁的。古以十三經為「正經」，今則引申喻指為人處事知矩達理，亦指物品道地、正點為「正經貨」。「正而八經」則有揶揄別人迂腐，故做「正經」之態。古對人體動、靜二脈稱「經絡」。血液流行的血管稱「經脈」。人類各種財貨的生產、消費、分配等是「經濟行為」，小自鄉村趕集，大至世界經濟，解決無數民生問題，誠可謂「經世濟民」也！

行楷

甲骨文

金文

小篆

行書

甲骨文：像一把捕捉鳥獸的網具，上部是網狀形，下部是長柄，是個象形字。

金文：網上多了一個「今」表聲，下之柄網表形，此時變成形聲字。

小篆：由金文演變而來，但「今」與「柄」變化較大。

禽：楷書：由小篆字形演變而來，已不見捕網形義。

禽之簡化字與繁體字相同。

## ◆古義

「爾雅・釋鳥」：「二足而羽謂之禽，四足而毛謂之獸。」兩雙腳的動物，其有羽毛者稱「禽」，四隻腳的動物，其無羽毛而有皮毛者稱「獸」。別而言之，羽則曰禽，毛則曰獸。通而言之，鳥不可曰獸，獸亦可曰禽。「禽」之本義為捕足鳥獸之工具，後引申為鳥獸總名。「白虎通・田獵」：「禽者何？鳥獸之總名。」「禮記・曲禮」：「鸚鵡能言，不離飛鳥，猩猩能言，不離禽獸。今人而無禮，雖能言，不亦禽獸之心乎？」鸚鵡會說話，終究是飛鳥，猩猩能說話，終究是走獸，人若無禮，雖能說話，其心智異於禽獸者，幾希？「禽」亦與「擒」通，「捉拿」也。「左傳・僖公三十三年」：「外僕髡屯禽之以獻。」都城外面的僕人髡屯捉拿了公子瑕，並献給鄭穆公。「史記・秦始皇本紀」：「禽滅六王。」「活捉」、「捉拿」也！「禽」原是捕捉鳥獸的工具，現則專指鳥獸，其本義已不存在！

## ◆今意

「禽困覆車」語出「史記・甘茂列傳」，義謂禽獸困急了，猶能作困獸之鬥，將人車傾覆。「禽息鳥視」語出「曹植，求自試表」，義為如鳥獸般生活，只知吃睡，沒有志向。此二成語今幾已不用。「禽犢」是古時不學無術而欲致身仕途所饋献之禮物，「犢」是小牛，今之買官稱「賄賂」，多以現金、黃金、珠寶、有價証券、名貴字畫等為主，送頭小牛，肯定不成！如送雞、鴨、鵝等，更要倒大楣，因為現在常鬧「禽流感」！「禽」古與「擒」通，今則已分義使用。「論語・微子」：夫子憮然曰：「鳥獸不可與同群。」孔老夫子不高興的說：人是不可與鳥獸共同生活的！現在有許多朋友喜歡養鳥及寵物，可能會提出抗議吧！

行楷

金文

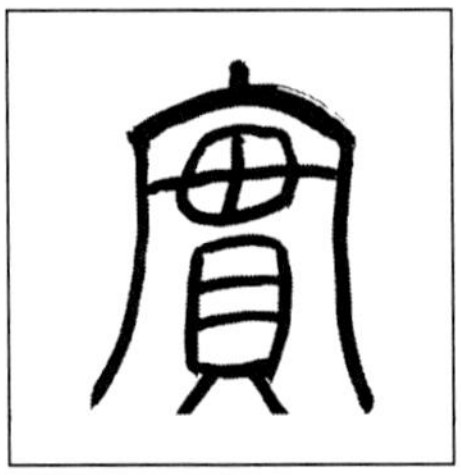

小篆

行書

金文：上部是個房屋的形狀，中間是塊「田」，田下是個「貝」，貝爲古之貨幣，家裡有田有貝，富裕也，是個會意字。

小篆：由金文演變而來，裡面的「田」與「貝」合起來變成了「貫」字，貫亦指貨幣。

實：楷書：由小篆字形轉換而來，屋內有「貫」，不失古義。

实：簡化字：本是「實」的簡體字，大陸地區引用為簡化字。

## ◆古義

《說文》：「實，富也，從宀從貫，貫，貨貝也。」「段玉裁」注：「貨物充於屋下，是為實。」「增韻」：「充也。」「廣韻」：「滿也。」「商君書‧去強」：「倉、府兩實、國強。」糧倉和錢庫都放得滿滿的，國必強盛，故知「實」之本義為「充裕」、「富裕」。由充裕引申為「果實」。「禮記‧祭統」：「昆蟲之異，草本之實，陰陽之物備矣！」祭祀用的奇異昆蟲，草木的果實，都已準備齊全。亦引申為「種子」。「詩經‧周頌‧載芟」：「播厥百穀，實函斯活。」「函」即「含」，播下各類穀物的種子，每粒種子都飽滿種得活。由果實引申為「品物」，「左傳‧莊公二十二年」：「庭實旅百，奉之以玉帛，天地之美具焉。」「旅」指陳列，庭中陳列數以百計的禮物，另再進奉束帛玉璧，天地間美好之物品都準備於此！由「實」引申為「誠實」，是「虛假」的對義詞。物之中虛則不實，人品亦然！

## ◆今意

「實」現已不指「富裕」，而多用於「充實」、「誠實」。做自己想做的事，就會覺得今天過得很「充實」。不自欺欺人，凡事真誠對人，絕不虛假待人，「禮記‧樂記」：「著誠去偽，禮之經也。」樹立誠信，去除虛偽是禮之正道。今之社會「不誠實」、「不務實」的人很多，商人昧著良心賺黑心錢者有之，食人俸祿，拿人薪水卻天天打混者有之，年輕人好高騖遠，不腳踏實地，總想著一步當老板，一夜就致富，這些都「不切實際」！「沒有一步一腳印，那來田中美蔬果？」「實」字至今用法極廣，但最重要的是「實幹實踐」、「實事求是」，才能「實至名歸」！

行楷

甲骨文

金文

小篆

行書

甲骨文：上面是個房屋的外形，屋內有一個人面朝左跪著，人下有一隻腳趾，人從外面走進屋內，裡面的人敬而跪迎，是個會意字。

金文：跪迎的人形稍有變化，腳趾變成了「貝」，表示帶禮物來的人即是賓客。

小篆：由金文演變而來，圖像文字化了。

賓：楷書：由小篆字形演變而來，仍能看出部分古義。

宾：簡化字：「宾」原是楷書的簡體字，借用為簡化字。

## ◆古義

《說文》：「賓，所敬也。」讓人尊敬的人。「玉篇」：「賓，客也。」來作客之人。「左傳‧僖公，三十三年」：「其妻饁之，敬，相待如賓。」「饁（音夜）」是送飯到田裡吃，晉大夫郤缺的妻子送飯到田裡給他吃，非常恭敬，夫妻間互相對待如賓客。「易經‧觀卦」：「觀國之光，利用賓于王。」瞻仰王朝的盛德，作君王的賓客將有利也。故知「賓」之本義為「賓客」。亦引申為「敬服」。「爾雅‧釋詁」：「賓，服也。」「尚書‧旅獒」：「明王慎德，四夷咸賓。」慎德懷遠，四夷賓服之謂。「史記‧五帝本紀」：「諸侯咸來賓從。」諸侯都來歸順服從。古帝王去世曰「賓天」。昔孟子之於齊，處賓師之位，故凡不居官職而地位崇隆者稱「賓師」。「賓」亦與「擯」同，「擯棄」也，「莊子，徐无鬼」：「先生居山林，以賓寡人。」「賓（音鬢）」者，擯棄也，謝却不受也！

## ◆今意

「賓」之本義為「賓客」至今未變，常云「來者是客」，就算是來者不善，亦應先敬之以「賓」，如有人「喧賓奪主」，再給他來個「先禮後兵」。主人宴客，款待親切，使客人感覺「賓至如歸」，如此當然「賓主盡歡」！如果主人斤斤計較，吝嗇加摳門兒，肯定弄得不歡而散！古之驛館、旅館今多稱「賓館」，也有個現代化翻譯名詞叫「摩鐵」，給人帶來許多方便，也給許多名人帶來不便，蓋因此係媒體狗仔隊追逐的焦點！古代地位高的稱「賓」，一般的稱「客」，現在多已不分，但在致詞時仍說：「各位來賓」，而不說：「各位來客」，以示尊敬！

行楷

甲骨文

金文

小篆

行書

甲骨文：外面是一間房屋的形狀，屋內是一隻大掃帚，把屋內打掃乾淨，好讓人休息就寢，是個會意字。

金文：與甲骨文相似，掃帚變得更結實了。

小篆：屋內「帚」下加手，以手持帚也，右邊多了個人，人就寢也。

寢：楷書：由小篆字形演變而來，「人」變成了「床」。

寢：簡化字：「床」字邊用行書筆法簡化之。

## ◆古義

《說文》：「寢，臥也。」臥者，躺下睡覺之謂。「詩經・小雅・斯干」：「乃寢乃興，乃占我夢。」於是睡覺、於是醒來，於是占卜我的夢境。「論語・衛靈公」：「吾嘗終日不食，終夜不寢。」我曾經一整天不吃飯，一整夜不睡覺。故知「寢」之本義為「躺下來睡覺」。引申為凡居室皆曰「寢」。「禮記・王制」：「庶人祭于寢。」「庶人」是指平民百姓，祭祀都在嫡子的起居住所。「士」以上都建有自己的宗廟，故祭於已之宗廟。凡廟，前曰廟，後曰寢。天子之陵園廟寢，供人四時致祭者稱「陵寢」、「園寢」、後漢書・祭祀志」：「古不墓祭，漢諸陵皆有園寢，承秦所為也。」亦引申為「息」，「止息」、「停止」之謂。「漢書・禮樂志」：「其議遂寢。」議論之事就停止了。「寢陋」是指其貌不揚，「三國志・魏志・王粲傳」：「表以粲貌寢而體弱通侻，不甚重之。」「通侻（音脫）」是放盪不羈，劉表差矣！此亦以貌取人之典型矣！

## ◆今意

「寢」即「就寢」，口語化的說法就是「睡覺」，團體生活訂有「就寢」時間，每人都得遵守，個人生活則隨心所欲，有的夜貓子三更半夜仍精神抖擻，充滿活力，但作息正常才是健康之道！有人說：中午小寐片刻，可以防止老人癡呆。但「宰予晝寢」却受到孔老夫子的責備，「南懷瑾・論語別裁」，認為是「畫寢」，孔子不會因為學生睡個午覺而罵人的，是刻工漏刻了一畫，如果這樣，那就放心的睡個午覺吧！古之「寢陋」、「貌寢」，現在則比較斯文說：「長得很抱歉！」以貌取人，古今皆然，面對才學都一樣，長相却不等的應徵者，您是面試官，會選那一個？別說假話喔！

行楷

金文

小篆

行書

金文：外形是一間房屋，屋裡有一個頭髮稀疏，面容愁苦的老人，孤獨寂寞的守著屋子，一人即「少」也，是個會意字。

小篆：屋內的人形變成了「頁」字，古時「頁（音協）」指頭部，亦表「人」也，下爲「分」，人分離之義。

寡：楷書：由小篆字形演變而來，隱約有古義。

賓之簡化字與繁體字相同。

## ◆古義

《說文》：「寡，少也。」「爾雅・釋詁」：「寡，罕也。」「論語・為政」：「多聞闕疑，慎言其餘，則寡尤。」「尤」指過失，見聞要廣博，對有缺失者，不要多言，其餘無疑者，亦謹慎言之，則可減少過失了。故知「寡」之本義為「少」，屋裡人少，只有一個人，故引申為無夫曰「寡」，「禮記・王制」：「老而無妻者謂之矜，老而無夫者謂之寡。」「矜」亦作「鰥」。「禮記・禮運」：「矜、寡、孤、獨、廢、疾者皆有所養。」另「無婦亦曰寡」，「左傳・襄公，二十七年」：「齊崔杼生成及彊而寡，娶東郭姜，生明。」齊國大夫崔杼生下崔成和崔強後，妻子就死了，又再娶東郭姜，生下崔明。「寡人」是古諸侯之謙稱，言已是寡德之人。諸侯之夫人亦自稱寡人，古代國君與諸侯都自稱「孤家」或「寡人」，「稱孤道寡」之謂。

## ◆今意

「少」是「寡」的古義，至今未變，「不患寡而患不均」是指分配要平均，如果不公平，就算分再多，亦會有糾紛。東西不怕少一點，但夫妻卻怕少一個，「孤兒寡母」或「孤女鰥夫」都是人生的不幸！現在已經沒有帝王諸侯，也不會有人謙稱自已是「寡德」之人，「寡人」已成歷史名詞。話不多言稱「寡言」，信用太差稱「寡信」，猶豫沒有決斷力稱「優柔寡斷」，敗壞社會風氣，不知廉恥之人稱「寡廉鮮恥」，由少數人專制統治的稱「寡頭政治」。見識不廣會被譏為「寡聞少見」，似乎「寡」字的語詞都是負面的，但「清心寡欲」是絕對正面的，可使心境清明也！

行楷

甲骨文

金文

小篆

行書

甲骨文：是一個面站立的人，左右兩隻手各執牛尾而舞之，是個象形字。

金文：較甲骨文複雜，上半部仍是人舞之形，其手所執之物則類如彩飾品，較多元化，左下方多了「彳」，右下方加了「止」，「彳」「止」為「辵」，「辵（音綽）」者，乍行乍止也，表舞之義。

小篆：由金文演變而來，下為雙腳，更表舞義。

舞：楷書：由小篆字形演變而來。

舞之簡化字與繁體字相同。

## ◆古義

「舞」之本字為「無」，「無」自被借為「有」之對義字後，即在「無」下加雙腳「舛」成「舞」字，自此，「舞」即專用於「舞蹈」。「禮記・樂記」：「長言之不足，故嗟歎之；嗟歎之不足，故不知手之舞之，足之蹈之也。」說話如果不能盡興，就要發出呼號怠歎之聲，如仍未能舒發興盡，不知不覺便會手舞足蹈起來。揚手舞之謂「舞」，舉足蹈之謂「蹈」。《說文》：「舞，樂也。」「左傳・隱公，五年」：「夫舞，所以節八音，而行八風。」舞是用以調節八種樂器的聲音而傳播八方之風。「禮記・內則」：「十有三年，學樂、誦詩、舞勺、成童、舞象、學府、御。」十三歲開始學音樂、習誦詩，舞文王之文舞（南籥），至十五歲為成童，學習跳文王之武舞（象箾），學射箭駕車。

## ◆今意

古時，揚手舞之謂「舞」，舉足蹈之謂「蹈」，今者，凡依音樂節拍配合協調的步伐舞動手腳者，統稱「跳舞」。故「跳舞」已包含「足蹈」之動作，如「土風舞」、「國標舞」、「民族舞蹈」等皆然。「舞」亦指動作，如「舞刀舞劍」、「舞龍舞獅」、「舞文弄墨」等，「舞弊」則指不合法、不守規矩的行為和動作。「舞榭歌臺」古指伶人歌妓歌舞之處，今則指表演的舞臺和歌廳。現在跳舞不用上「舞廳」，在家裡音樂起便可舞扭一番，若嫌不夠熱鬧，可邀親朋好友來家開個「舞會」。我却喜歡孔老夫說的：「吾與點也！」那種「浴乎沂・風手舞雩・詠而歸。」豈不更樂！

行楷

甲骨文

金文

小篆

行書

甲骨文：中間是一個面朝左跪坐的人形，左上方是一隻手形，右上方是一隻大耳朵，以手掩面，專用耳聽，是個會意字。

金文：由甲骨文演變而來，右耳更加突顯。

小篆：外面變成「門」，表聲，裏面是「耳」，表形。此時變成形聲字，其義不變。

聞：楷書：由小篆字形轉換而來，仍有古義。

簡化字：「闻」：本是「聞」的簡體字，今用於簡化字。

## ◆古義

《說文》：「聞，知聲也。」聽而得其聲也。「禮記．大學」：「視而不見，聽而不聞。」用眼看却看不見東西，用耳聽却聽不到聲音。「尚書．堯典」：「帝曰：俞！予聞，如何？」「俞」是表示肯定語，帝堯說：是啊！我也聽說虞舜其人，他的德行如何呢？故知「聞」之本義為「聽見」、「聽到」。引申為「知識」。「論語．季氏」：「友直、友諒、友多聞。」結交正直的朋友，有誠信的朋友，見識廣博的朋友。「史記．屈原列傳」：「博聞強志。」見識廣博，記憶超強。亦「傳知」、「達」也。「淮南子．主術」：「而臣情得上聞。」「上聞」即「上達」也。用鼻嗅曰聞，餐飲店前常見「聞香下馬，知味停車。」的對聯。「聞」亦讀（問）音，表示「名譽」。「詩經．大雅．卷阿」：「如圭如璋，令聞令望。」「圭」與「璋」均是玉製的禮器，您的儀表像玉圭、玉璋，有美譽與聲望。

## ◆今意

凡用於「名譽」、「聲望」時均應讀（問）音，如「聲聞」、「聞望」、「聞人」、「聞達」等，「論語．顏淵」：「在邦必聞，在邦必達。」在社會上，自己的名譽要讓人知道，自己的德行亦要通達。「諸葛亮．出師表」：「不求聞達於諸侯。」「聞達」一詞即出自論語也！用於「聽見」時則讀（文）音，「論語．公冶長」：「回也聞一以知十。」子貢讚美顏回聽一就知道十，我們現在常用「舉一反三」來形容聰明、反應快，較之顏回，差之千里矣！「聞鷄起舞」出自「晉書．祖逖傳」：「祖逖與司空劉琨同寢，中夜聞荒雞鳴，因即起舞練劍。」意指勤勉奮發，今則應改為「聞雞起讀」也！最怕的是「聞道猶迷」，語出「後漢書．竇馳傳」：「失路不反，聞道猶迷。」給他說了最好的道理，仍然執迷不悟，不聽人勸者，終必吃虧受累！

行楷

甲骨文

金文

小篆

行書

甲骨文：中間是一個正面站立的人形，雙臂下方各有一盆火，火焰照得人體顯出赤紅之色，是個會意字。

金文：由甲骨文演變而來，火焰更旺。

小篆：人與火各分左右兩邊，更顯「赤」貌。

赫：楷書：由小篆字義演變而來，成兩個「赤」字。

赫之簡化字與繁體字相同。

## ◆古義

《說文》：「赫，火赤貌，從二赤。」「博雅」：「赤也。」「赤」是「朱色」，「詩經・邶風・簡兮」：赫如渥赭，公言錫爵。」「渥赭」是濕潤的紅土，「錫」是賞賜，「爵」是飲酒器，臉上紅潤有光澤，像濕潤的紅土，衛君賞賜美酒一杯。故知「赫」之本義為「朱紅」。引申為「顯示」，「詩經・大雅・生民」：「以赫厥靈。」上帝顯示了那種靈異。亦引申為「怒」。「詩經・大雅・皇矣」：「王赫斯怒，爰整其旅。」「赫」是盛怒，「旅」指軍隊、文王盛怒，於是編整軍隊。「赫」亦指威儀，「爾雅・釋訓」：「赫兮烜兮，威儀也。」「赫」是儀表光明有德行，「烜（音選）」本作「咺」，儀容宣著也。亦與「嚇」同，用武力使人心生畏懼，如「恐嚇（音賀）」，語音亦讀（夏），如「嚇人一跳」。

## ◆今意

古時「赫」與「嚇」同，今者「嚇」多用於使人害怕之「恐嚇」、及「讓我嚇一跳」等，「嚇嚇」連用是指笑聲。當形容動怒、盛極、顯明等時，即不能用「嚇」。我們常用「赫怒」表示赫然發怒，「赫然」是使人驚心動魄的樣子，「赫赫」是盛大和顯著，如「赫赫有名」、「威名顯赫」等，近常用於翻譯字，如十七世紀德國批評家及詩人「赫德」，天文學家「赫瑟爾」，十八世紀德國小說家及詩人「赫塞」，芬蘭首都「赫爾辛基」，還有發現電磁波的德國物理學家「赫茲」。「千赫」、「兆赫」是指電磁波發射出的能量。

行楷

金文

小篆

行書

金文：上面是個房屋的形狀，屋內有野獸腳趾之形，其下是口，屋內出現野獸腳趾印，眾人在議論研究，是個會意字。

小篆：由金文演變而來，屋內變成了「番」字，番是野獸腳趾腳掌所留下的印記。

審：楷書：由小篆字形轉換而來，仍有古義。

审：簡化字：改「番」為「申」，取其音以簡化之。

## ◆古義

《說文》：「審，悉也，本作宷，從宀從釆。」「宷」是「審」的本字，篆書加「田」為「審」。「悉」者，詳盡也、熟究也。「賈誼．治安策」：「莫如光審取捨。」不如先詳研要什麼與不要什麼。故知其本義為「審查」、「研究」。審然後「知」，然後「明」。「禮記．中庸」：「博學之、審問之、慎思之、明辨之、篤行之。」要追求「誠」，就要廣博學習，詳細詢問、慎密思考、清楚辨別、確實執行。亦引申為「分辨」、「熟究」，「禮記．樂記」：「是故審聲以知音，審音以知樂，審樂以知政，而治道備也。」所以能分辨聲律進而聽懂音律，能分辨音律進而聽懂音樂，能分辨音樂進而懂得政治、治國之道完備也！亦引申為「慎重」，謹慎持重，不苟且之謂。訴訟問案亦曰「審」，古之門，今之法院，對兩造所舉言詞証物詳細調查，仔細推究論斷之謂！

---

## ◆今意

「審」為「審查」之本義至今未變，多用於對事情作詳細評估的「審度（音舵）」、「審定」，法官對原告與被告兩造的「審問」、「審訊」、「審理」、「審判」，人員與資料的「審核」與「審察」等。「審時度勢」是指審察時宜，量度趨勢，現在不論投資或做生意，都要懂這道理！我不喜歡多爾袞致史可法書裡的「取舍從違！應早審定，兵行在即，可東可西」，太霸氣、太威脅人啦！我喜歡現代的「審美學」，尤其是對人，各個年齡層的「審美觀」都不相同，看法不一而足，此亦即「情人眼裡出西施！」一看就對眼，未審已先醉啦！

行楷

甲骨文

金文

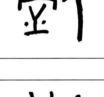

小篆

行書

甲骨文：左邊是一個像鼎一類的食具（鬲），右邊是一隻手形，吃食完畢，用手撤去食具，是個會意字。

金文：左邊的鼎形變得像一般盛物之具。

小篆：變化較大，左邊增加了「彳」，表行動，中間變成「育」，右邊變成「攴」，其義未變。

徹：楷書：由小篆字形演變而來，已完全看不出古義。

彻：簡化字：左邊「彳」不變，右邊用「切」表聲以簡化之。

## ◆古義

「周禮・天官・膳夫」：「卒食以樂徹于造。」「造」指製造飲食之處，即今之廚房、灶房，天子食畢，徹器之時，作樂以徹之。「左傳・宣公十二年」：「且雖諸侯相見，軍衛不徹，警也。」「徹」通撤，即撤除也。而且雖是諸侯相見，也不撤除軍隊的守衛，保持警戒也！故知「徹」之本義為「撤除」、「撤去」。引申為「通」、「達」、「左傳・昭公二年」：「女無敢為賓，徹命於執事。」你不能接受迎賓之禮，只要把使命上達給管事的大臣。「徹」亦即軌轍可循之「道」，「爾雅・釋訓」：「不徹，不道也。」不徹即不遵循正道之義。由「撤除」引申為「剝取」、「毀壞」等義。「詩經・小雅・十月之交」：「徹我牆屋，田卒汙萊。」「卒，盡也，「汙萊」指窪地淹水、高地荒蕪。你毀壞我的屋牆，使窪地全淹，高地全荒。「徹」與「撤」、「澈」部分相通，古之經典中通用「徹」。

## ◆今意

「徹」之本義為「撤除」，今者，凡有「撤除」之義者，均用「撤」，如「撤退」、「撤換」、「撤銷」、「撤職」等。「徹」者多用於「貫通」、「達到」等，如「徹底」、「徹夜」、「徹上徹下」、「貫徹始終」等。「澈」是指水清可見底，亦有「貫通」之義，故「澈底」與「徹底」，「澈底澄清」與「徹底澄清」、「澈悟」與「徹悟」，「澈查」與「徹查」等可通用，餘則不宜也！古有「徹縣」之禮，縣印「懸」也，懸掛「鐘」和「磬」的樂器。「禮記・曲禮」：「大夫無故不徹縣。」沒有遭遇天災禍事，大夫家裡懸掛的鐘和磬是不能撤下的，如遇天災或國有大故，則天子、諸侯、大夫、士等均減膳撤樂，以表哀戚，今者，除了除丰旗或舉國同時默哀一分鐘外，馬照跑、舞照跳，更未見上位者提倡減膳之風，何戚之有。

行楷

甲骨文

金文

小篆

行書

甲骨文：左邊是個「彳」，表示行動，右邊是一隻正面的眼睛，眼上是條垂直線，表示眼睛要直視、正視，行為要端正，是個會意字。

金文：右邊眼睛下加了一顆心，表示心也要正直。

小篆：右上的眼睛成「直」，下部心筆法化了。

德：楷書：由小篆字形演變而來，依稀有古義。

德之簡化字與繁體字相同。

## ◆古義

「廣韻」：「德，德行也。」「德行」是內外之稱，在心為德，施之為行。「易經・乾卦」：「忠信，所以進德也。」孔子說忠誠守信是增進美德的基礎。「詩經・大雅・烝民」：「民之秉彝，好是懿德。」「秉彝（音宜）」是「秉性」、「本性」、「懿（音易）德」即美德，人類的本性，就是愛好美德。「德」是來自內心的修養，發乎心，表於行，故知「德」之本義為「道德」、「德行」。引申為「恩惠」、「論語・憲問」：「以德報怨。」「以德報德。」以恩惠報答和我有仇恨之人，以恩惠報答對我有恩惠之人。亦引申為「感恩」、「感謝」、「左傳・成公三年」：王曰：「然則德我乎？」楚共王對荀罃說：「那麼是感謝我囉？」有德之音謂之樂，「禮記・樂記」：「天下大定，然後正六律，和五聲、弦歌詩頌，此謂之德音。」亦引申為「福祉」，「禮記・哀公問」：「君之及此言也，百姓之德也。」國君提到這個問題，真乃百姓之福祉也。

## ◆今意

我們讀「論語」，經常讀到有關「德行」的句子，直到今日，其理不變，值得我們省思。「論語・學而」：「慎終追遠，民德歸厚矣。」人民的道德觀念是否敦厚，端視能否重視喪禮及追思，現在很多人思想西化了，已不知「清明掃墓」一詞。「論語・為政」：「為政以德。」以仁德施政，人民自然歸順，居上位者「為德不卒」，乃黎民之苦。「論語・里仁」：「君子懷德，小人懷土。」君子心存善道，小人則心存安樂。現在好人雖然很多，但貪戀享樂愛慕虛榮者亦不少。「論語・里仁」：「德不孤，必有鄰。」有道德修養的人必有信服者，絕不會孤獨，今則不然，倒是歌星、影星粉絲一大堆，絕不寂寞。「論語・子罕」！「吾未見好德如好色者也！」此語貫穿古今，從未之易，嗚呼，其人性乎？何時「德」「色」可倒置？

行楷

金文

小篆

行書

金文：外面有四個「口」，中間是一隻「犬」形，犬用四口齊吠，有爭吵喧嘩之義，是個會意字。

小篆：「口」從兩邊移到上下，中間仍為犬形。

器：楷書：由小篆字形轉換而來，古義未變。

器之簡化字與繁體字相同。

## ◆古義

「器」是「犾、狺（音銀）」的初文，本指犬吠爭之聲，後被借用指用具後，另以「犬」旁造「犾、狺」二字，以專指犬爭之吠聲。《說文》：「器，眾器之口，犬所以守之。」像所有器皿的口。「禮記・禮器」：「宮室之量，器皿之度。」宮室的大小，器皿的容量。「器皿」是盛裝食物的用具。引申為「材能」。「禮記・王制」：「瘖、聾、跛躃、斷者、侏儒，百工各以其器食之。」對於啞巴、聾子、瘸子、肢體殘缺、以及矮小的侏儒，各行各業的工匠都要施展材能幫助他們。亦引申為「器量」。「論語・八佾」：「管仲之器小哉！」這是孔子批評管仲的器度太小。「器小易盈」字面之義為「器皿太小，容易滿溢。」實喻「戶小」，酒量淺，「戶」指酒量，白居易有：「戶大嫌甜酒，才高笑小詩。」後人則借指器度狹小，一旦得志即驕縱凌人之人。

## ◆今意

「器」為犬吠聲之本義早已不存，今指所有可用之具為「器」，總稱「器具」，如「瓷器」、「陶器」，金屬等的金、銀、銅、鐵器，家庭生活用的「器皿」，軍中作戰用的「器械」，宗教用的「法器」等。除用具外，亦常用於才能，才器，「漢書・馮野王傳」：「深見器重，有名當世。」有才華的人還需有人提拔重用，有些長官常懼部下超越自己，愈是才華洋溢，愈被視為異己，千里馬亦變駑駘也！還不如做個平凡人，愚且蠢，「無災無難到公卿」。人的器量狹窄稱「小器」，有些人常說人「小氣」，此僅用指吝嗇，不包括人的器宇與度量。「器宇軒昂」是指人的儀表與氣度不凡，有如玉樹臨風，瀟洒飄逸，今稱「帥哥」，所以看見男生都喊「帥哥」，準沒錯！

行楷

甲骨文

金文

小篆

行書

甲骨文：上半部是「木」，木的四周有四個小點，代表大焰，木下是一盆火形，放火焚燒草木，是個象形字。

金文：與甲骨文類似，其義亦同。

小篆：由金文字形演變而來，已看不出古義。

燎：楷書：由小篆的字形分成左右寫法。

燎之簡化字與繁體字相同。

## ◆古義

《說文》：「玉篇」：「燎，放火也。」「燎」之本義為燒草木，故火田曰燎，「詩經・小雅・正月」：「燎之方揚，寧或滅之。」野火正在熊熊燃燒，竟然有人能把它撲滅。「尚書・盤庚」：「若火之燎于原，不可嚮邇。」「嚮邇」是面對而靠近，像野火在原野上燃燒，無法面對而靠近。由燃燒引申為「明亮」、「美好」，「詩經・陳風・月出」：「月出照兮，佼人燎兮。」「燎」通「嫽」，美好也，月亮出來照四方，美人在月下更顯姣好。亦指火炬，「詩經・小雅・庭燎」：「夜未央，庭燎之光。」「庭燎」是諸侯來朝時，樹於庭中照明的火炬。「燎衣」是用火把衣服烤乾，「燎髮」是比喻簡單容易，「燎燎」是顯明的樣子

## ◆今意

我們常說：「星星之火可以燎原。」很小的一點火星，可能釀成大的災害，語出「尚書・盤庚」：「若火之燎于原。」現在則多用之比喻雖屬小事、小病，如不注意，必釀大災。亦常見「天乾物燥，小心火燭」的警語，燭火雖小，其勢可燎原也！「燎炬」是以竹篾編成圓緶形，內裝易燃物，夜間行走時燃之取光，俗稱「火把」，此物在現代已被手電筒等代替。現在洗衣機有連帶脫水功能，再加上烘乾機，衣服可即洗即乾，古之「燎衣」，今不復見也！古時「火田以獵」，今如放火燒山，是要抓去關的！

行楷

甲骨文

金文

小篆

行書

甲骨文：是古代的一種酒器，盛行於商、周時期，下有三足或四足，可盛酒或溫酒，是個象形字。

金文：上部仍是酒器，中間是「鬯」，祭祀用的酒，下方有一個腳趾，表酒器的足部。

小篆：由金文演變而來，腳趾變成手形。

爵：楷書：由小篆字形演變而來，已不見酒器之形。

爵之簡化字與繁體字相同。

◆古義

《說文》：「爵，禮器也，象爵之形。」飲酒之器也，古時，凡有典禮，皆飲酒以慶，故稱飲器為「禮器」。「左傳・莊公二十一年」：「虢公請器，王予之爵。」虢公請求周惠王賞賜器物，周惠王賞賜青銅製的酒器。「詩經・小雅・賓之初筵」：「酌彼康爵，以奏爾時。」「康」是「大」，「時」指善射者，把酒斟滿那大酒器，向得勝者致敬。「禮記・投壺」：「正爵既行，請為勝者立馬。」「正爵」是勝者斟酒給負者所用的酒器，「馬」指籌碼，爵中之酒飲盡後，就為勝者安放一枝籌碼。故知「爵」之本義為「酒器」。引申為「爵位」，「禮記・王制」：「王者之制：祿爵：公、侯、伯、子、男、凡五等。」成就王業者的制度，在俸祿及爵位上，分公、侯、伯、子、男五等。另「爵」與「雀」同。「孟子・離婁上」：「為叢敺爵（音雀）者，鸇也。」「敺」與「驅」同，「鸇（音詹）」，似鷂，捕食鳩、鴿、燕、雀等。替叢林驅雀者，即吃雀的鸇鳥。

◆今意

「爵」是古時飲酒的禮器，現在則稱「酒杯」。引申之「爵位」，今稱「官位」，古之爵位由君王主導，封疆列土，論功行賞，永享福祿。今之官稱「公務員」，要經過國家考試才能任用，沒有土地可分，想要「加官晉爵」，除了自己努力，還得長官賞識與提拔，專門跟長官作對，事事對嗆者，是不會被重用的。漢高祖劉邦得天下後，因迫於形勢，聽從張良獻計，先封曾辱罵自己而有宿怨的雍齒為侯，以止異心，這種「爵仇」之事在現代是不可能發生的，古之「爵室」是指船上的候望室，居高臨下，如鳥爵（雀）之警視也。今稱「瞭望室」或「瞭望臺」，「爵」與「雀」亦不通用，想要知道「爵」的真面目，就跑一趟，青銅器展覽館吧！

行楷

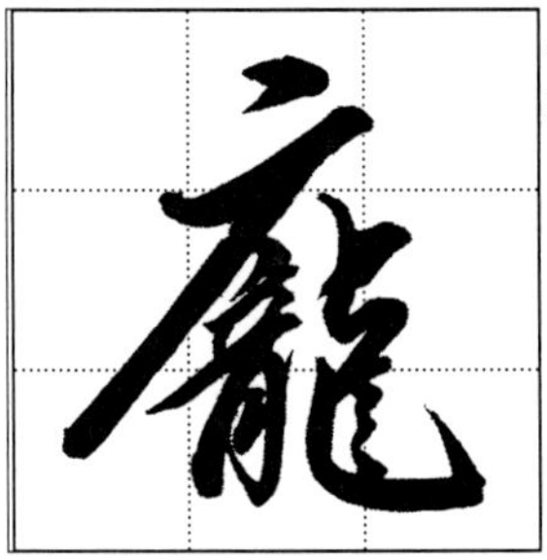

甲骨文

金文

小篆

行書

甲骨文：上端像一座房屋的屋頂，屋頂下是一條巨龍，能容巨龍之屋必然高大，是個會意字。

金文：與甲骨文相差極大，像條一飛沖天的龍形。

小篆：由甲骨文之形義演變而來，上端的屋變成「广（音眼）」，「段玉裁」注：「厂（音喊）山石之崖巖，因之爲屋，是日广。」屋內的龍形文字化了。

龐：楷書：由小篆字形轉為楷書的筆法。

庞：簡化字：龐與庬音同義通，取兩者筆法簡化之。

## ◆古義

《說文》：「龐，高屋也。」其本義為高大的房屋。自被引申為「高大」後，其本義即已消失。古籍中多與「厖」通，「龐」指高大，「厖」指深大，兩字之義極其相近，故而相通。由高大引申為厚實，「酷吏傳論」：「古者敦龐，善惡易分。」古時民風純樸厚實，善惡易分之謂。由厚實引申為「充實」，「詩經．小雅．車攻」：「四牡龐龐，駕言徂東。」「龐龐（此時讀音籠籠）」充實、強壯，四匹公馬充實而又強壯，駕著牠們駛向東部洛邑。亦有雜亂之義，如「龐雜」、「龐錯」等，蕪雜不純也，故眉毛黑白相雜、頭髮花白稱「龐眉皓髮」，此多形容老者，「唐．杜工部草堂詩箋」：「松根胡僧憩寂寞，龐眉皓首無住著。」「龐鴻」是指天地混沌，元氣未分之貌。另面貌亦稱「龐」，如「臉龐」、「面龐」。

## ◆今意

古時「龐」與「厖」音同義通，兩者通用，故「龐眉皓首」、「厖眉皓首」，兩者均同。「厖」亦為「尨」之借字。「文選．張衡．思玄賦」：有「尨眉皓髮」，故知「龐」、「厖」、「尨」三者均音同義通，如「龐雜」、「厖雜」、「尨茸」等均指亂雜貌。「尨」另有「多毛犬」之義，今稱獅子狗，「龐」另有「臉龐」之義，此時即不能通用矣！用於姓氏時三者亦相通，如「庬降」、「尨降」是古高陽氏八才子之一。現在姓氏多以「龐」為多，「厖」、「尨」則已少見。凡高大厚實皆可曰龐，如形容大象為「龐然大物」，但千萬別用來形容女性！

行楷

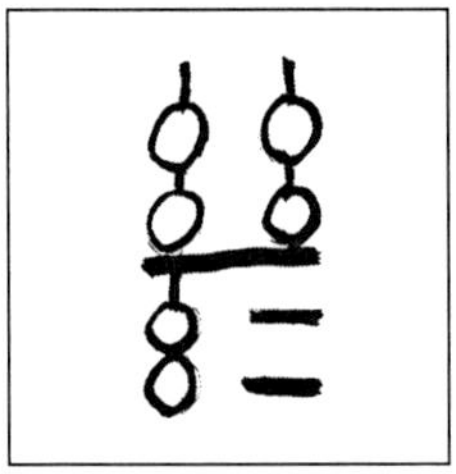

金文

小篆

行書

金文：上爲兩串絲縷，中間一橫表示連接下面絲縷之物，下左爲一串絲縷，下右有兩小橫，表相同之義，是個象形字。

小篆：右邊由金文演變而來，是完整的四串絲縷，左邊又加了糸旁，接續之義不變。

繼：楷書：由小篆字形轉換而來，仍有古義。

继：簡化字：左邊的「糸」是取行書的筆法，右邊是取簡體字的寫法合併簡化之。

## ◆古義

《說文》：「繼，續也。」續者、連也、連續之謂。「論語‧堯曰」：「興滅國、繼絕世、舉逸民、天下之民歸心焉。」把已滅亡的邦國振興起來，已絕的世族扶立起來，舉用遁隱的賢者，如此，則天下民心都歸附了。「離騷」：「吾令鳳鳥飛騰兮，繼之以日夜。」「玉篇」：「繼，紹繼也。」紹即繼也，「紹箕裘」指子繼父業。故知「繼」之本義為「連續」、「接續」。如「饔飧不繼」，沒吃的，早晚兩餐都接不上。亦引申為「延續」。「晉書‧劉聰載記」：「觀魚於汾水，以燭繼晝。」日以繼夜，以燭光代替日光之謂。亦引申為「相次」、「在後」。如後父稱「繼父」，後母稱「繼母」。初娶之妻為「元配」，繼娶之妻稱「繼配」或「繼室」。「繼踵」是緊跟別人腳步，「繼武」之「武」是指前人所留之足跡，比喻繼續前人之事業，與「繼承」先人之事業稍有不同。

## ◆今意

「繼」之本義及所引申之義至今未變，「接續」先聖先賢之德行風範，繼而發揚光大，是後代子孫的責任，雖「哲人日已遠」，然「典型在夙昔」，我們常在禮堂或紀念館看到「承先啓後，繼往開來。」「養天地正氣，法古今完人。」「為天地立心，為生民立命，為往聖繼絕學，為萬世開太平。」的楹聯，都在鼓勵吾人要傳承後代，莫忘先賢，此乃大格局之「繼」也！小「繼」則指家族事業及財座的「繼承」，是私領域的個別「承繼」，但仍需有傳之萬代的大思維，否則出個敗家子，就「無以為繼」啦！故讀聖賢詩句，絕對有助於吾輩建立正確思想觀念，及為人處事，創繼事業的根本道理！

行楷

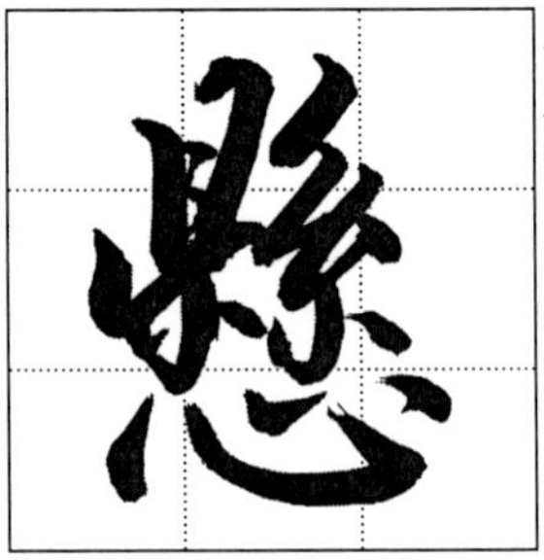

金文

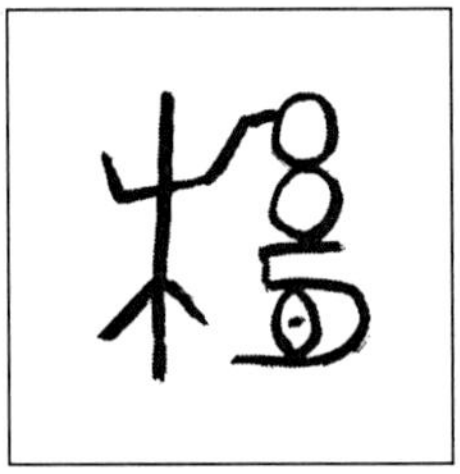

小篆

行書

金文：左邊是一顆樹，右上是一條絲縷之繩連結在高處的樹枝上，繩下是人的頭部，露出睜大的眼珠，是個會意字。

小篆：左邊變成一個倒吊的人形，頭髮下垂，右邊是個「系」字，「系」即繫，以繩繫之於木也。

懸：楷書：在小篆下加了個心字，表示「掛心」，上「縣」表聲，下心表形，此時變成形聲字。

悬：簡化字：上取楷書「縣」的簡寫以簡化之。

## ◆古義

《說文》：「懸，繫也。」「懸」本作「縣」，縣者，繫也。「徐鉉」曰：「此本是縣掛之縣，後借用為州縣之縣，今俗加心別作懸。」在未借用前，讀音為（玄），如「詩經・周頌・有瞽」：「應田縣鼓。」應是小鼓，田是大鼓，縣（音玄）鼓即吊掛起來的鼓。「縣」作「州縣」之用後，即與「懸」字分義分用。「孟子・公孫丑」：「民之悅之，猶解倒懸也。」「倒懸」是指倒掛，一如小篆之形義，後比喻民生困苦，故知「懸」之本義為「繫掛」。如「懸心」、「懸念」、「懸掛」等，物之有所繫曰懸。引申為無所繫曰「懸」，如出師遠征，後援及補給不能到達之處稱「懸師」、「懸軍」。古風尚武，生男孩便將弓懸掛於門之左首稱「懸弧」、「弧」即「弓」也。男子生日稱「懸孤令旦」。「懸壺」語出「後漢書・費長房傳」，原指賣藥，後喻行醫。「懸梁」是指「漢・孫敬」嗜學，因怕打瞌睡而以繩繫頭髻，懸於樑上，戰國蘇秦以錐刺股，均刻苦奮進，終有所成也！

## ◆今意

今之「懸」與「縣」仍然分家，不能通用，其「懸心」、「懸念」、「懸掛」等本義仍常用之，表示遠距離的牽掛，每個人都有其「牽腸掛肚」的人，故而都能深刻體會。「漢代・羊續」有「懸魚」以表拒收賄賂之故事，今之為官者宜引為典範也！古之案件如議不能決，暫行擱置者，稱「懸案」，今則多指外交或未破之刑事案件。「懸疑小說」年輕人愛看，有助於推理和邏輯分析。我喜歡書法中的「懸腕」、「懸肘」執筆之法，即不倚桌面而空懸腕肘也。「梁巘・評書帖」說得極好：「懸腕懸肘力方全，用力如抱嬰兒圓。」如果您寫字的姿勢是托腮倚案，那就要改了！

行楷

甲骨文

石文

小篆

行書

甲骨文：左邊是一匹昂首奔跑的馬，下面的馬蹄向後上翹，右邊是「攴（音樸）」，表示輕打、小擊，使之前行也，是個會意字。

石文：右邊仍為「攴」，左邊從馬奔的形狀變成了「區」字，表聲，此時變成形聲字。

小篆：將趕馬的「攴」變成左邊的馬，右為區。

驅：楷書：由小篆字形轉換而來，仍有古義。

驱：簡化字：馬字綜合書法中之行草筆法簡化之，右採楷書「區」之簡體字「区」，以簡化之。

## ◆古義

「玉篇」：「驅，逐、遣也。」策馬奔跑前行也。「鄘風・載馳」：「載馳載驅，歸唁衛侯。」「載」是助語詞，乃也，「馳」與「驅」同義。「唁」指慰問，快馬加鞭趕回去慰問衛文公。《說文》：「走馬謂之馳，策馬謂之驅。」「史記・越王勾踐世家」：「乘堅驅良。」乘坐堅固的車子，驅趕著雄駿的良馬。故知「驅」之本義為「趕馬」。引申為「趕走」、「驅逐」之義。「禮記・月令」：「驅獸毋害五穀。」驅趕飛禽野獸，別讓牠們傷害到田裡生長的穀物。「賈思勰・齊民要術・種麻」：「麻生數日中，常驅雀。」麻剛冒芽出土的前幾天，要經常驅趕鳥雀。「易經・比卦」：「王用三驅，失前禽。」三驅是三面圍堵而網開一面，任由前方禽獸逃離，此君王光明磊落之道，必定吉祥。亦有逼迫義，如「驅使」，受令奔波行事之役者也！

## ◆今意

「驅」之本義為「趕馬」、「驅趕馬車」，今所用之「驅車前往」已非馬車，而是汽車，亦不用「驅趕」，而是駕駛。「驅馳」與「馳驅」均謂奔走效力於人之義。如「三國志・蜀志・諸葛亮傳」：「由是感激，遂許先帝以驅馳。」但「馳驅」另有放縱之義，「詩經・大雅・板」：「敬天之渝，無敢馳驅」，怕上天降下災難，不敢恣意放縱。古時對不管大事，專管雞毛蒜皮之小事的「宰相」稱「驅驢宰相」，現在的閣揆可沒那麼輕鬆。現今軍隊中之「驅逐機」、「驅逐艦」不是用來趕田裡野獸的，是捍衛國防的！

行楷

金文

小篆

行書

金文：中間是個「頁」，是指人的頭部，左右共有四個「口」，四口交言，吵雜喧嘩，人的腦袋受不了也，是個會意字。

小篆：四個「口」分移於上下，中間的頁字形化了。

囂：楷書：由小篆字形轉換而來，仍符古義。

嚣：簡化字：中間的「頁」取行書筆法簡化之。

## ◆古義

《說文》：「囂，聲也，氣出頭上，從㗊從頁，頁，首也。」「玉篇」：「喧譁也。」眾人之呼噪聲也。「左傳・昭公三年」：「子之宅近市，湫隘囂塵，不可以居。」「湫（音狡）」指低地，「隘（音愛）」指狹窄，齊景公對晏子說：您的住宅靠近市場，低窪狹窄而又喧譁多塵，已不能居住。故知囂之本義為「喧譁」。市集之喧譁亦曰「囂」，「正字通」：「交易市合則囂。」人都集合到交易市場，必然嘈雜喧譁。「囂囂」是自得的樣子。「孟子・盡心上」：「人知之亦囂囂，人不知亦囂囂。」不管別人知與不知，都要有自得的感覺。亦有眾多之義，「詩經・小雅・十月之交」：「無罪無辜，讒口囂囂。」我無罪過，卻讒言滿天飛。「囂」亦「敖」之假借字，亦與「嗸」同，「敖」乃遊也，「詩經・邶風・柏舟」：「以敖以遊。」敖遊自得之意也。

## ◆今意

「囂」之本義為眾人之呼噪喧譁聲，引申為車輛等不悅耳之聲曰「囂」，如「甚囂塵上」，語出「左傳・成公十六年」：「甚囂，且塵上矣。」「甚」是「很」，「塵上」指塵土飛揚，「楚王」說：「晉軍兵車非常囂鬧，連塵土都飛揚起來了。」今則多指消息傳開，眾說紛紜，議論紛紛之謂，是負面的貶義詞。「囂張」是指盛氣凌人，態度傲慢，此常見於「財大氣粗」、「小人得志」，或其有所恃者。「囂囂」仍常用於「喧擾」或「眾多」，但已少用於「自得意滿」之貌，因「囂」現已多用於貶義字。古時「囂」與「嗸」同，如「嗸嗸待哺」是指眾口喊餓，等待餵食。「嗸」與「嗷」同。古時「囂」是「敖」的假借字，有出遊與焦慮之義，今者已不通用。

行楷

金文

小篆

行書

金文：上半部是關起來的兩扇門，門下有一雙手，用雙手把門推開，是個會意字。

小篆：「門」的邊框變長了，門裏的雙手變成「辟」字，「門」表形，「辟」表聲，此時成了形聲字。

闢：楷書：由小篆字形轉換而來，其義相同。

辟：簡化字：「辟」與「闢」通，今用「辟」作為「闢」之簡化字。

## ◆古義

《說文》：「闢，開也，從門，辟意兼聲。」「開」者，啟也。「易經．繫辭上傳」：「其靜也翕，其動也闢。」「翕（音夕）」是閉合，靜止時是閉合的，動起來時是開展的。「尚書．堯典」：「舜格于文祖，詢宇四岳，闢四門。」「文祖」是堯的太廟，舜來到文祖廟，與四岳大臣商議國事，並打開四方大門，傾聽四方百姓意見。「左傳．宣公二年」：「晨往，寢門闢矣，盛服將朝。」鉏麑奉晉靈公之令刺殺趙盾，清晨前往，趙盾寢門已開，朝服也已穿妥，準備上朝。故知「闢」的本義為「打開」、「開啟」。引申為「避開」、「屏除」、「荀子．解蔽」：「是以闢耳目之欲。」屏除耳目之欲也。亦引申為「開墾」、「拓土」、「司馬相如．上林賦」：「地可墾闢。」這地是可以開墾的。亦指通直的流水，「爾雅．釋水」：「湀闢．流川。」由屏除引申為駁斥、排除。如「闢謠」、「闢邪」。「正韻」：「闢亦作辟。」避也，「論語．憲問」：「賢者辟世，其次辟地。」亦通「僻」、「偏」也、「邪也」。

## ◆今意

「闢」、「辟」、「僻」三字古有互通，今則各有專義，且勿任意通用，如「闢邪」，斥責邪說，「闢謠」、「闢闔」，開闔、「闢謬」，駁斥謬說、「開疆闢地」、「闢牖取明」，開窗取光，亦喻棄暗投明等。「僻」指荒僻、僻靜，如「僻見」，偏僻的見解、「僻鄉」、「僻陋」、「僻靜」、「僻壤」等。「辟」指君王或除去，如「辟王」，帝王、「復辟」，恢復帝位、「辟言」，正常的言論、「辟邪」，去邪、「辟倪」，邪視、「辟雍」，皇帝設立的大學、「鞭辟入裏」，言論或文章說到骨子裡去了等。「闢」之本義為「開」，今者多用「開」或「開闢」。現在常用「闢室密談」來形容不公開、不透明的會談或談判。

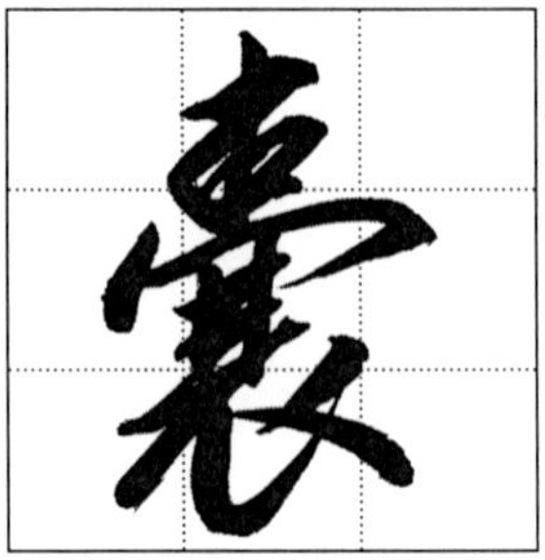

行楷

甲骨文

金文

小篆

行書

甲骨文：外形像一個大口袋，上方的袋口用繩子紮住，袋子裡裝了兩個「貝」，貝是古交易的貨幣，財物放在口袋裡，是個象形字。

金文：由甲骨文演變而來，袋中變成一個「貝」，上方袋口紮得更結實。

小篆：由金文演變而來，上下兩頭的口都紮得緊，袋中裝滿許多物品，是小篆的「襄」字，表聲。

囊：楷書：由小篆字形演變而來，已無「口袋」之形。

囊之簡化字與繁體字相同。

## ◆古義

《說文》：「囊，櫜也。」「櫜（音駝）是沒有底的袋子，「詩經·大雅·公劉」：「迺裹餱糧，于櫜于囊。」「迺」同「乃」，「餱（音侯）是乾糧，於是裝上乾糧，在那有底與沒底的糧袋裏。「囊」與「櫜」均為裹物之具，但古之說法各異，有「有底、曰櫜、無底、曰囊。」有「無底曰櫜，有底曰囊。」有「小曰櫜，大曰囊。」但一般而言，多指有底為囊，無底需兩頭捆紮者為「櫜」。故知「囊」之本義為「口袋」。引申為「色羅」之義，「文選·賈誼·過秦論」：「有席捲天下，包舉宇內，囊括四海之意，併吞八荒之心。」「括」者，結也、束也、盛也，「囊括」即盛入囊中而結之也。「囊」亦同「攮」，「莊子·在宥」：「乃始臠卷愴囊而亂天下也。」「愴囊」即「搶攘」，亂也，「漢書·賈誼傳」：「國制搶攘，非甚有紀。」

## ◆今意

現在已不用「櫜」而多用「囊」了，故已無多大紛爭，囊之大者，如旅行時裝衣物用品等的行囊，俗稱「行李箱」，材質亦由布料進步到皮革。囊之小者，如衣褲的小口袋，裝皮夾、手帕等，如口袋沒錢，常自嘲「阮囊羞澀」。晉朝時，阮孚持一皂囊遊會稽，客問囊中何物？答以「但有一錢守囊，恐其羞澀。」至今仍常用此語以言困境也！「漢·王充·論衡」：「腹為飯坑，腸為酒囊。」「抱朴子·彌禰衡」：「禰衡呼孔融為大兒，楊脩為小兒，荀彧強可與語，過此以往，皆木梗泥偶，似人而無人氣，皆酒甕飯囊。」故「酒囊飯袋」是諷刺他人無用，千萬別亂用，即有「禰衡」之才者，亦不宜也！現在居上位者，或大企業家都有「智囊團」，訂正方針，匡其言行，禰衡肯定沒有，才會出言不遜！

行楷

金文

小篆

行書

金文：左邊是一個「雚」的形象，右邊是一個面朝左站立，張口大笑之形，「雚（音貫）」是屬貓頭鷹類的猛禽，表聲，「欠」表形，是個形聲字。

小篆：由金文演變而來，「雚」仍有猛禽之形，人的笑形變成「欠」字。

歡：楷書：由小篆字形演變而來，似缺古義。

欢：簡化字：是歡的簡體字，今作簡化字。

## ◆古義

《說文》：「歡，喜樂也。」高興快樂之謂。「徐錯」曰：「喜動聲氣，故從欠。」「禮記・檀弓」：「啜菽飲水，盡其歡，斯之謂孝。」「啜（音綽）」指喝，「菽（音叔）」是豆類的總稱。孔子對子路說：奉養父母，雖然吃的是豆粥，喝的是清水，但如能使雙親歡喜快樂，這也算是孝子。「史記・魏其武安侯到傳」：「丞相卒飲至夜，極歡而去。」丞相一直飲酒到深夜，極其歡悅的離去。故知「歡」之本義為「喜樂」。亦用於男女之間的「男歡女愛」，對所愛者暱稱曰「歡」，「樂府詩」：「聞歡下揚州，相送楚山頭。」知道所愛之人要去揚州，我一直送到楚山那邊。「歡伯」是古時酒的別稱，「元好問・留月軒」：「三人成邂逅，又復得歡伯。」三個老友不約偶遇，剛好有美酒助興。「歡客」有三種意思。一、萱草的別名。二、受歡迎的客人。三、尋歡之狎客。

## ◆今意

人人都喜歡這個「歡」字，「普天同慶，薄海歡騰。」是國恩，亦是家慶，人人歡欣鼓舞，一同慶祝，但有歡就有悲，「蘇東坡，水調歌頌」：「人有悲歡離合，月有陰晴圓缺，此事古難全。」「吳地歌謠」：「月子彎彎照幾州，幾家歡樂幾家愁。」都道盡人間聚散總無情的淒苦！最傷感的是「李叔同・送別」：「一壺濁酒盡餘歡，今宵別夢寒。」最適合現代無殼蝸牛心聲的，是落魄詩人杜甫的詩：「安得廣廈千萬間，大庇天下寒士俱歡顏，風雨不動安如山！嗚呼！何時眼前突兀見此屋，吾廬獨破受凍死亦足！」

國家圖書館出版品預行編目（CIP）資料

漢字古義今意每日一字 . 第七輯 / 曾彬儒著 . -- 新北市 :
普林特印刷有限公司 , 2023.11
面 ; 公分
ISBN 978-626-98059-1-4( 平裝 )

1.CST: 中國文字

802.2 112019463

# 漢字古義今意 每日一字【第七輯】

作　　者：曾彬儒

總 編 輯：林萬得
美術編輯：林萬得
發 行 人：曾彬儒
地　　址：新竹市武陵路 73 巷 60 號 2 樓
電　　話：0938-077478

出 版 者：普林特印刷有限公司
地　　址：新北市三重區忠孝路二段 38 巷 6 號
電　　話：（02）2984-5807
傳　　真：（02）2989-5849
網　　址：http://www.p1.com.tw

出版日期：2023 年 11 月
定　　價：新台幣 280 元
（如有缺頁、破損、裝訂錯誤，請寄回更換）

ISBN-13：978-626-98059-1-4